El peso de las sombras

Colección Autores Españoles
e Hispanoamericanos

# Ángeles Caso

# El peso de las sombras

Finalista Premio Planeta
1994

Planeta

© Ángeles Caso, 1994

© Editorial Planeta, S. A., 1994
   Córcega, 273-279, 08008 Barcelona (España)

Diseño colección de Hans Romberg

Ilustración sobrecubierta: detalle de «La pastelería», por J. Béraud, Museo Carnavalet, París (foto Aisa). VEGAP, 1994

Primera edición: noviembre de 1994
Segunda edición: noviembre de 1994
Tercera edición: noviembre de 1994
Cuarta edición: diciembre de 1994
Quinta edición: diciembre de 1994
Sexta edición: diciembre de 1994

Depósito Legal: B. 43.467-1994

ISBN 84-08-01244-4

Composición: Foto Informática, S. A.

Papel: Offset Munken Book, de Munkedals AB

Impresión y encuadernación: Cayfosa Industria Gráfica

Printed in Spain - Impreso en España

*Ediciones anteriores*
Especial para Planeta Crédito
1.ª edición: noviembre de 1994

Editorial Planeta, S. A., advertida de la existencia de una obra publicada en 1990 con el mismo título que la presente, no duda en rendir un reconocimiento a su autor, don Joaquín Galán Díez

*A Gerardo*

¡Ah, este vacío! ¡Este vacío que siento aquí en mi pecho...! Pienso a menudo que si una vez, una sola vez, pudiese estrecharla contra mi corazón, se colmaría plenamente este vacío.

GOETHE, *Werther*

# I

AQUEL DÍA la niebla había llegado pronto desde
el mar. Era una negrura húmeda que lo cubría
todo poco a poco, avanzando como los fantasmas
en los cuentos que las mujeres musitaban en la
cocina, sin ruido, implacable, borrando primero
el horizonte y luego la pradera verde, y los árboles, y hasta los macizos de camelias que se ex-
tendían a los pies de la casa, por la parte de
atrás. Todo desvanecido de pronto, callados los
pájaros que se refugiaban, muertos de miedo, en
nidos secretos, apagadas las voces de la aldea,
que tal vez se había hundido entretanto bajo la
tierra, desvanecido y callado el mundo entero,
salvo la campana de la iglesia que repicaba sin
cesar, tin, tin, taan, tin, tin, taan, tin, tin, taan,
durante horas y horas, como las de todas las iglesias de los pueblos vecinos, para marcar a los
barcos, quizá perdidos en medio de la oscuridad,
la línea sinuosa y mortal de la costa.

Cuando había niebla, Mariana tenía que quedarse en casa. Y cuando llovía, cuando las nubes
se cerraban en el cielo, apretándose negras y pe-
sadas, y se rompían después para soltar la lluvia,

una gota tras otra, y luego más, y aún más, miles de gotas de agua de las que había que defenderse dentro —«No se te ocurrirá salir ahora al jardín, Mariana»—. Pero si hacía sol, o si al menos las nubes eran aquella tarde benévolas y no les daba por diluviar sobre la casa, y el pueblo, y el bosque y el mar allá a lo lejos, Mariana solía estar en el parque. A esas horas la dejaban libre. Era una especie de pacto secreto, un acuerdo entre su madre y ella respetado desde un día de primavera, lejano ya y como borroso en la memoria. Estaba sentada en el salón junto a madame de Montespin, quien bordaba callada, humilde la cabeza, atento todo el cuerpo al menor ruido extraño que la hacía estremecerse durante unos instantes, abandonar la labor y levantar la vista hacia la puerta para inclinarse después de nuevo, el desaliento en los ojos y a veces, al encontrarse la mirada de la niña que la escrutaba sin cesar, pendiente de cada uno de sus movimientos, sonreír, sonreír dulcemente con aquella expresión suya en la que se mezclaban el consuelo y la pena, la lástima de sí misma y de ella, de su hija tan querida, tan sola, tan desamparada sin su presencia. Aquel día —Mariana tendría quizá seis o siete años— se cansó de pronto del silencio, de la quietud, del tiempo largo, pausado y triste del salón. Hasta entonces había vivido la espera así, casi desesperada, como la posibilidad única y fatal de cada tarde. Pero aquel día de primavera, al volver los ojos hacia el parque y ver los rayos del sol trepando por los árboles ya verdecidos, la hierba crecida y salpicada de flores, al pensar en la brisa que llegaba desde la costa y

10

agitaba los vestidos, hinchándolos a veces como globos —y entonces la madre se debatía intentando volver la falda a su lugar, y giraba en el aire como una veleta, luchando con su sombrilla y quejándose levemente mientras ella reía—, de pronto, al comprender que el sol calentaba como un milagro, por vez primera desde hacía muchos meses, muchísimos, y que quizá mañana no volvería a estar ahí, sintió un deseo feroz de salir, de correr, de gritar sobre la hierba, bajo los árboles, hacia el mar que en algún momento, si corría mucho, asomaría allá a lo lejos, verde, verde y sonoro como una caracola... Y el deseo le creció por dentro, y comenzó a moverse, a agitar las piernas, despacio —y la madre levantaba la cabeza, miraba y sonreía—, a rebullir luego en su sillón, sin querer hacer ruido por no molestar, pero deseando en realidad que el ruido se hiciera insoportable para aquella presencia muda que, al fin, alzó los ojos y ya sin sonreír preguntó:

—¿Te ocurre algo, Mariana?

—Nada... —Los pies parecían movérsele solos—. ¿No podríamos dar un paseo...?

—No, yo no puedo ahora. Quizá esté llegando...

Y alzó la cabeza, como un perro atento al eco lejano de los pasos, al crujido de las hojas secas que evidencian la cercanía del amo. Pero la casa permanecía en silencio.

Siempre llegaba por la tarde. Salía de París el día anterior, en un tren ruidoso y humeante que lo llevaba hasta Ruán. Allí hacía noche, se encontraba con sus viejos amigos de la provincia y luego, por la mañana, iniciaba el camino hacia Belbec, bordeando el Sena. A madame de Montespin le brillaban los ojos mientras imaginaba el coche de punto acercándose cada vez más, bajando, al trote los caballos, la cuesta que serpenteaba entre los altos árboles del bosque de Tréy, enfilando ya las callecitas embarradas de la aldea, por delante de la iglesia, para atravesar la verja del jardín y pararse, en medio de un bullicio de relinchos, voces, guijarros aplastados y puertas de pronto abiertas y cerradas sin cuidado, ante la entrada de la casa. A madame de Montespin le brillaban los ojos de alegría, y Mariana la contemplaba con lástima de niña sabia que presentía que tampoco su padre llegaría aquella tarde, igual que no había llegado la tarde anterior, ni la otra, ni la otra, ninguna tarde desde hacía meses, desde las fechas de Navidad, cuando pasó dos noches en casa... Luego, al caer el día, sobre el rostro de la madre se desplomaría la sombra, aquella tristeza oscura que la atenazaba cada noche. «Otra noche sola», la oiría musitar llena de pena, y se quedaría entonces aún más callada, aún más quieta, más dulce y dolorosa que nunca la sonrisa apenas entrevista a la luz de las lámparas difusas del comedor, mientras jugueteaban los cubiertos sobre platos que jamás se vaciaban, y ella, su hija, intentaba hacerla hablar, recordar las historias contadas en la mañana, cuando todavía esperaba y tenía ganas de reír, para luego callar ella también, resignada al fin al silencio.

Pero aquel día, de pronto, la idea de pasar la tarde sentada junto a su madre, aguardando al que nunca llegaría, viendo avanzar la noche al otro lado de los cristales de la gran ventana,

oyendo el canto agitado de los pájaros en el crepúsculo, quieta en aquel sillón en el que ya se
traicionaban sobre la seda verde las marcas de
su cuerpecillo aún tan ligero, le resultó insoportable. Y se atrevió a suplicar:

—Déjame salir a mí sola, mamá, por favor...
Seré buena, y volveré en seguida.

Madame de Montespin pareció extrañarse.
Pero miró al jardín, y vio que todo estaba lleno
de luz y sereno, alejados los vientos helados del
Norte, los aguaceros helados del Norte, cercano
ya el tiempo del calor, y entonces... ¡Oh, sí!, entonces, cualquier tarde, quizá dentro de un rato,
sonarían las ruedas del coche sobre los guijarros
del camino y él estaría de nuevo allí... Le sonrió
a Mariana, complaciente, y asintió con la cabeza:

—No se te ocurra alejarte mucho, que yo te
vea siempre desde aquí.

Y Mariana saltó del sillón verde, la besó de
prisa y salió de prisa al jardín. Pero luego comprendió que tal vez no debía mostrar tanta pre-
cipitación, tanta alegría, y reposó el paso y se giró
desde el otro lado del ventanal hacia ella, que
sonrió devolviéndole el saludo con la mano, y comenzó a caminar sobre la hierba, húmeda aún
de la noche fría... Un pie tropezó en un hoyo, y
estuvo a punto de caer al suelo, y después un pájaro grande cruzó la pradera de un extremo al
otro, batiendo con fuerza las alas, y le llegó lejano
el ruido del mar sobre los guijarros, como una
caracola. Entonces tuvo miedo: estaba sola, lejos
de su madre, que se había quedado al otro lado
de la ventana mientras ella estaba allí sola, bajo
el cielo... Quiso gritar, volver a la casa para pro-

tegerse, pero de pronto, entre los árboles, aparecieron las dos niñas, dos manchas azules que corrían flotándoles los lazos al aire, y Mariana se echó a reír, tranquilizada, y caminó cada vez más rápido, lejos, hacia aquel cielo inmensamente azul tras el que se escondía el sol, como un tesoro, y luego corrió, de cara al viento, y las niñas la siguieron, gritando, llamándola, enredándoseles las risas detrás de ella... Llegaron juntas hasta el final del campo verde, allí donde se abría el gran foso que, en otros tiempos, algún abuelo gustaba de atravesar saltando a caballo, hendiendo fuertemente las espuelas en la carne, azuzando la montura con la fusta, en aquellos lejanos años desconocidos en los que la casa se llenaba de seres cada verano, hombres y mujeres que se amaban y se odiaban, que soñaban en silencio los unos con los otros y rezaban en voz alta los unos por los otros, a pesar de los corazones. Y entonces, alarmada por la lejanía, se tiró en la hierba, sofocada, feliz, y las niñas se echaron a su lado, llenas de carcajadas. «Tú te llamas Cristina, y tú Blanca», dijo, recordando nombres de primas lejanas, y ellas, deslumbrantes en sus vestidos azules, con el mismo y exacto azul del retrato de la bisabuela española, asintieron...

Desde aquella tarde, cuando hacía bueno, Mariana jugaba con ellas en el parque. Juntas recorrían los campos buscando flores que eran a veces diminutos castillos de hadas, preparando comidas de hierbas sobre platitos de hojas de castaño, persiguiendo mariposas que habían venido volando desde un país lejano de cielos siempre rojos, donde las niñas se vestían con faldas de pétalos de rosas y eran despertadas, al amanecer, por pavos reales de muchos colores que volaban hasta los alféizares de las ventanas, desde donde se veía una ciudad llena de cúpulas de oro por la que deambulaban negros con grandes serpientes enroscadas en los brazos y mujeres de ojos muy hermosos, cubiertas por velos de plata, a las que llevaban en sillas de mano cuatro esclavos gigantes, y el más grande de todos, casi tan alto como la torre de la iglesia, sostenía con pulso firme la traílla que sujetaba un león rugiente... Después corrían por la pradera, siempre en línea recta, y aprendieron a cruzar el foso, apoyando bien los piececillos en la tierra húmeda, sujetando las manos a las piedras grandes que, aquí y allí, sobresalían entre el barro, y seguían corriendo luego en zigzag por el campo, más allá, hasta que llegaban al final, y era de pronto una loma cuajada de árboles que descendía hacia la playa, oculta bajo las copas, y el mar, brillante en el fondo de aquel pozo luminoso... Entonces, sudorosas, se sentaban al borde del prado y contaban los barcos que pasaban cerca del horizonte, con las velas hinchadas como alas y los cascos altivos, igual que dragones volando por un aire verde manchado de nubes grises:

—¡Mira!, aquél viene de Inglaterra, y lleva a España a un capitán que fue herido en una feroz batalla con los corsarios... Su barco hizo preso al enemigo, y el jefe corsario, que era tuerto de un ojo, prefirió tirarse al agua a entregarse, y es ahora el rey de los caribes... Pero antes de escapar hirió al joven capitán con su espada, tres veces, en la cabeza, en el hombro, y sobre la rodilla, y ahora lo llevan tumbado en una hamaca, envuelto todo en vendas que empapan con ungüentos de médula de ballena blanca. Y él va dando las órdenes, tendido en cubierta, y sueña con su prometida, que le espera cada día en el puerto, vestida de blanco, con un gran sombrero lleno de flores frescas, y otea el horizonte una hora tras otra por si él volviese, y luego regresa a casa, al atardecer, muy triste y deseando dormirse pronto para que la noche pase rápida y amanezca en seguida, y poder llegarse otra vez al puerto...

Luego, en cuanto el sol empezaba a abalanzarse sobre el mar y el cielo comenzaba a arder, enrojeciendo las nubes, se volvían a la casa, cogidas las tres de la mano, Mariana en el centro, a su lado las niñas de azul, y a pesar del cansancio todavía a veces tenían ganas de esconderse detrás de los troncos de los grandes árboles y perseguirse. Después, cuando a través del cristal de las ventanas se divisaba ya la figura de la madre, que aún bordaba ajena a la penumbra, seguramente esforzándose en que no cayeran de sus ojos las lágrimas del temor a otra noche sola, las niñas de azul besaban a Mariana en las mejillas y se iban, aún ruidosas durante unos instantes, desapareciendo entre los árboles y las camelias hacia el muro que separaba el parque de las casuchas grises y sucias de los campesinos.

Ella regresaba sola a la casa, y a veces, si la madre quería saber, le hablaba vagamente de juegos solitarios. Pero de Cristina y Blanca jamás decía nada. Sólo ella conocía su existencia, y era aquél un secreto que guardaba muy dentro del corazón, para que no se lo estropearan. No tenía más amigas que las niñas de aire. Estaban las primas, pero vivían lejos, en otros lugares de la región, o en París. A la mayor parte ni siquiera las había visto: su madre y ella jamás salían de Belbec, por si acaso llegaba el padre, y apenas recibían. Sólo una vez, cuando era muy pequeña, los hijos de su tío, Charles y María de las Nieves, habían venido a visitarlas. A pesar del tiempo pasado los recordaba muy bien, con sus rizos dorados y perfectos que la doncella retocaba cada día, y aquel aire de altivez cuando la miraban:

—¿Has estado en Ruán?

—Nunca.

—¿Ni tampoco en París?

—Tampoco —respondía avergonzada. Y las bocas de los primos denunciaban su falta.

—Nosotros pasamos todos los inviernos en París y la primavera en Ruán. Luego, cuando empieza el tiempo de playa, vamos a la casa de Trouville. ¿Tú no vas a la playa?

—Sí, a veces —pudo responder con alivio. Y los primos callaron unos instantes, buscando un nuevo motivo de preeminencia:

—¿De dónde es tu institutriz?

Susurró más que decirlo:

—No tengo institutriz.

—¡Vaya! —y María de las Nieves soltó triunfante el lazo de su vestido, que había estado retorciendo entre las manos—. ¿Y cómo aprendes a leer, y los números, y los mapas?

—Me enseña mi madre.

La prima entrecerró los ojos:

—Nuestra institutriz es alemana. *Fräulein* Beck. Y nosotros aprendemos los números en alemán: *eins, zwei, drei...*

A pesar de todo, ahora, con el paso del tiempo, los añoraba. Tal vez ellos la recordarían, y estarían deseosos de volver a verla, y ser sus amigos. Sí, también ella, cuando era pequeña, miraba con cierto desprecio a los niños del pueblo, tan sucios y harapientos, y ahora, sin embargo, sentía envidia de ellos: anhelaba su alegría, aquel incesante bullicio mientras correteaban por los caminos enlodados, incluso bajo la lluvia, salpicándose unos a otros en cada charco, revolcándose a veces en medio del barro, en peleas que ella observaba desde las ventanas de su dormitorio, sin saber si eran fingidas o reales, y de las que sólo se levantaban para seguir corriendo y chillando... Los domingos, cuando salían de la iglesia después de la misa, caminando hacia la entrada principal del jardín, su madre le daba un puñado de monedas que ella entregaba al mayor de los muchachos. Estaban todos allí, ante la puerta, mal abrigados a pesar del frío, sujetando los chicos la gorra entre las manos, silenciosos y agachadas las cabezas. Pero ella veía cómo se les retorcían las bocas en risas que no osaban exhibir, y después, cuando ya habían dado humildemente las gracias, cuando ellas ya se alejaban camino de la casa, protegidas bajo paraguas o sombrillas, alzando levemente el borde de las faldas para no ensuciarlas, seguidas siempre por Annick y Joseph, fieles como perros, Mariana giraba suavemente la cabeza, miraba con disimulo, y los veía correr hacia las casuchas o hacia los campos abiertos, tapándose las bocas para no gritar y molestar así a madame de Montespin y a su hija, temerosos de perder por siempre el anhelado regalo dominical. Entonces sentía un profundo deseo de echar a correr tras ellos, igual que ellos. Pero la madre caminaba sin volver la vista hacia la casa ya cercana, el palacio ocre, con su tejado gris lleno de chimeneas humeantes, y los naranjos cuidadosamente podados en las macetas de la terraza, la casa que el tatarabuelo Michel de Tréville hiciera levantar en el lugar de la vieja fortaleza de la familia, para alejarse de la agitada corte durante algunos meses al año, y jugar al *whist* y al cinquillo a la luz de los candelabros, bajo la atenta mirada de escotadas señoras, cubiertas de largas pelucas, maquillados de blanco los rostros, como muñecas, en los que destacaban hermosos lunares... Y Mariana suspiraba y cedía graciosamente el paso ante la verja a su madre, que caminaba como en un sueño hacia la casa, muy abiertos los ojos, en los que brillaba aún, a esa hora de la mañana, la esperanza.

Las niñas de azul eran para ella un tesoro, y a menudo, sentada al lado de la madre en el salón, o mientras comían juntas y casi en silencio, o cuando, sola en su habitación corría las cortinas y miraba hacia el jardín delantero, las añoraba. Y los días de lluvia, los días de frío intenso y de tempestad, mientras el viento resonaba fuerte entre los árboles —más fuerte aún que el mar sobre los cantos, allá abajo, a lo lejos—, y los días de niebla gris y fantasmal... Cuando aquellos jirones helados avanzaban desde la costa, enredándose en el aire, la sombra del rostro de la madre se anticipaba a la caída de la tarde:

—Hoy ya no vendrá —musitaba.

Mariana a veces, por piedad, mentía:

—¿Cómo lo sabes, mamá? Quizá haya salido pronto en la mañana de Ruán y esté ya cerca.

—No, no... A estas horas estarían cruzando el valle de Lisières. Y cuando vea la niebla, el cochero subirá hacia Yvetot. Nadie es tan insensato como para meterse por esos caminos en esta negrura.

Y callaba. Al rato llegaba Joseph, renqueando y tosiendo sin cesar, con aquel mal suyo de los bronquios que ya nunca se quitaba de encima, y azuzaba la chimenea o, si era verano, la encendía. Una de las doncellas bajaba un chal, y madame de Montespin se arrebujaba en su sillón, frente al fuego, abandonada la labor para el resto del día y, con un gesto, le pedía a Mariana que acercase su asiento. La niña obedecía, triste ya del silencio de la larga tarde. Y entre las llamas le parecía ver entonces soldados de rojo uniforme que partían al frente briosos y gallardos, subiendo y bajando las colinas, en marchas agotadoras y heroicas, y brujas buenas que curaban penas de amor, recitando sortilegios en lenguas arcanas, y hasta bailes en palacios de cristal, iluminados por mil candelabros dorados... Luego, cuando algún ruido súbito la distraía y alzaba la cabeza hacia el rostro de la madre, pálido a pesar del calor cercano, visibles las ojeras azuladas bajo los ojos verde mar, transparentes de las lágrimas que nunca llegaban a caer y se quedaban allí atravesadas, ateriéndola de frío y de esa pena que lo devoraba todo, pensaba en sus amigas de azul, y rezaba bajito, muy bajito, para que al día siguiente saliera de nuevo el sol: «Señor, un sol pequeño, no te pido gran cosa, no me importa que haya nubes, pero que se vaya la niebla esta, buen Jesús, para que pueda salir a jugar al jardín, y ver las mariposas...»

Y Dios a veces escuchaba sus rezos, y a la mañana siguiente brillaba el sol como si nunca hubiera habido otra cosa por los aires más que aquel polvo dorado y azul que jugueteaba sobre los muebles, mientras Mariana, toda alborotada de alegría, abría y cerraba la gran ventana de su cuarto y miraba flotar las partículas brillantes. La madre aparecía a la hora del desayuno, radiante, sonrosado ahora el rostro, fácil la risa, y se entretenía después enseñándole el mapa de Rusia:

—Mira, San Petersburgo, donde fue embajador tu bisabuelo, ante un gran rey que se llamaba zar, zar Alejandro. Monsieur de Hercourt tenía un palacio todo rosa, con unas torres muy finas y muchas ventanas con cristales tan brillantes que cuando el río se quedaba helado, en invierno, se reflejaba todo allí, como un castillo de encaje sumergido, y el hielo blanco reverberaba a su vez en el palacio, y parecía entonces un gran juego de espejos... Tu bisabuelo, sentado en el salón, en un sillón muy alto, igual que un trono, que hacía colocar junto a la ventana abierta, miraba hacia el río, y otro monsieur de Hercourt le miraba a él desde lo hondo y agitaba la mano devolviendo su saludo. Un día, mientras hacía reverencias al·señor de los hielos, vio algo que le sacudió el corazón: en la ventana del palacio de encaje que se encontraba justo bajo su ventana, una muchacha se asomaba al aire —o al río, no lo supo muy bien—, con sus largas trenzas rubias como el sol acariciando sus senos de princesa, y sobre la piel tan blanca y tan fina de las mejillas, como la de un hada, brillaban dos lágrimas de hielo... Y monsieur de Hercourt, que había dejado en Francia a su esposa, temerosa de los fríos y de los gritos salvajes de los rusos, sintió de pronto un aleteo en el corazón, leve como el de un pajarito recién nacido, y doloroso como si unas alas de espino lo arañasen: era el amor. Y entonces, se asomó ardiente a su ventana para decirle a la amada que no llorase, pero bajo él sólo divisó el alféizar cuajado de la escarcha de la noche, y en el palacio de hielo temblaba una nube sobre el cristal de la ventana, vacía ahora... Tu bisabuelo, aún ligero y fuerte como cuando era un joven oficial del rey, atravesó a la carrera la sala, sin hacer ruido por no alarmar a la bella, y bajó las escaleras de cuatro en cuatro, como si volase, y abrió de un suspiro la puerta de aquella habitación bajo la suya. Pero allí no había nadie... Entonces recorrió el palacio entero, el salón de baile, y el gran comedor, y la salita de porcelana, y el gabinete, y los dormitorios de los invitados, y la cocina, y los cuartos de los criados y el desván y hasta las leñeras... Y rebuscó bajo las camas, abrió armarios, tocó uno a uno los rostros de todas las criadas, por acariciar aquella piel tan suave, y les arrancó los pañuelos para encontrar las trenzas doradas como el sol... Pero ella no estaba. Monsieur de Hercourt mandó luego formar a todo el servicio de la casa, hasta el último ayudante, ante él. Y preguntó, como si hablara a un ejército, quién conocía a la muchacha de las trenzas de oro que lloraba. Pero nadie sabía nada. Entonces ordenó, y amenazó, e incluso hizo latigar a las criadas más viejas... Sin embargo, no pudo obtener ni una sola palabra sobre aquella mujer a la que ya amaba más que a nada en el mundo. Pasaron los días, las semanas y los meses, y tu bisabuelo parecía hechizado: estaba todo el tiempo en la ventana, mirando el palacio de hielo, por si ella aparecía de nuevo... De noche, hacía iluminar todas las habitaciones de la casa con grandes candelabros, y las llamas refulgían en el río, como si el propio hielo ardiese. Los ojos le lloraban de cansancio y de frío y a veces, al amanecer, las lágrimas se le hacían escarcha. Pero nunca volvió a ver a su dama. Luego llegó la primavera y el hielo comenzó a resquebrajarse, y una mañana el palacio de encaje se hundió para siempre, y las aguas del Neva atronaron el aire. Entonces tu bisabuelo ordenó hacer sus baúles, se despidió en silencio del zar, de rodillas, y regresó a su casa de París. Y allí, junto a la ventana de su habitación que miraba al Sena, en el mismo lugar donde se instaló la noche de su llegada, lo encontraron muerto a los pocos días, sin que una sola palabra hubiera salido de sus labios. Tenía en las manos dos lágrimas de hielo, que no llegaron a derretirse antes de su entierro. Yo las vi, y eran como dos grandes perlas transparentes, con un reflejo dorado en lo hondo, igual que el sol.

23

Mariana escuchaba en silencio, con los ojos muy abiertos, las viejas historias de la familia. Por las noches, antes de dormirse, las recordaba en voz baja, y a menudo las repetía, entremezclándolas, ante las niñas de azul. «Cuando sea mayor. —les decía—, yo seré igual que ellas, igual que todas esas mujeres que están retratadas en el salón del primer piso: viajaré a París, y a América, y a San Petersburgo... Y tendré los labios rojos como las cerezas y los ojos suaves como el terciopelo. Seré hermosa, y los hombres me amarán, y querrán morir por mí...» Y las niñas se reían, y le acariciaban con la punta de los dedos el cabello que habría de flotar al viento de todos los mares...

Pero en la vida de algunos seres hay un día en el que, de pronto, se encuentran consigo mismos, como si al doblar un recodo del camino se tropezaran con su propia imagen, pero despojada e incólume, libre de todos los adornos y las cicatrices que se le habían ido poniendo encima con los años, de las mentiras y los fingimientos, y también de las ilusiones y los sueños irrealizables... Eso le ocurrió a Mariana aquella mañana de otoño fría y oscura en que el padre las llevó a Fécamp. Ella soñaba con pasear por el gran puerto, entre los barcos que se reposaban de destinos misteriosos y lejanos, y contemplar a los marineros que traerían en la piel olores a mares distantes, y sonreír a las damas solitarias, que viajaban para encontrarse con sus esposos en las tierras heladas del Norte, allí donde los campos estaban cubiertos de nieve todo el año y había que deslizarse sobre trineos tirados por perros ceñidos de campanillas... Era la primera vez que iba a alejarse más allá del bosque de Tréy y de la playa de los cantos. Por eso aquella noche durmió mal, contando las horas que sonaban en el reloj de la iglesia, y cuando supo al levantarse que la niebla había llegado pronto, y que debían suspender el viaje, se quedó toda apenada, y se pasó el día revoloteando por la casa, en pos de Annick, espiando desde detrás de las puertas a la madre —que no se separó ni un instante del esposo, fija la vista en él, enganchados sus pasos a los suyos—, por si le daba noticias del viaje. Y a la mañana siguiente, cuando a pesar de la grisura Marie le dijo que Joseph y su hijo preparaban ya el coche, sintió un cascabeleo en el corazón, que parecía repicar, excitado y alegre, mientras se despedían de Annick, quien agitaba la mano a la puerta de la casa, y resonaba en el aire el látigo de Pierre y sus voces de ánimo a los caballos. El coche corría ya, bamboleante, hacia la verja del jardín, y por las calles de la aldea, mientras los campesinos se detenían a su paso y saludaban respetuosos. Mariana creía hallarse en el umbral de la aventura, al comienzo de una nueva vida que habría de ser la suya ya por siempre... Pero luego, al llegar a lo alto de la colina, cuando se arrodilló en el asiento y pegó la nariz al cristal trasero, vio la mancha desvaída de la aldea, cada vez más pequeña en la distancia y detrás, al fondo, una gran sombra aún más oscura, los árboles del parque que tapaban por completo la casa... Entonces tuvo miedo. Se le apretó de pronto el estómago, y le entró una pena muy grande, como si nunca más fuese a volver a Belbec, y a pesar de las sonrisas luminosas de la madre, del parloteo incesante de monsieur de Montespin, que le contaba a su esposa noticias de París, ella creía ver por todas partes sombras misteriosas, que parecían agazaparse detrás de los árboles y entre las miserables casitas de los pueblos, y cada vez que un pájaro grande y negro atravesaba el aire, se encogía en su asiento, temiendo que los atacara con su pico afilado y sus alas poderosas... El padre, a veces, la miraba:

—¿Estás bien, Mariana?

Ella asentía, y madame de Montespin le acariciaba la mano unos instantes, ajena a su sufrimiento, y volvía de nuevo a sonreír al hombre:

—En seguida llegaremos.

El cielo se ponía de pronto negro, muy negro, y avanzaban las nubes azuzadas por un viento que doblegaba los altos árboles y hacía entrar el polvo por las ranuras de las ventanillas...

Fécamp le pareció un lugar feo y triste. A los edificios se les había caído la pintura, y el moho y la mugre dibujaban en los desconchados sombras espectrales. Por las calles estrechas y malolientes caminaban gentes de aspecto miserable, aún más pobres que los campesinos de Belbec. En las escaleras de la catedral, poderosa como una fortaleza, se arracimaba un puñado de mendigos y lisiados, exhibiendo vendas sanguinolentas, piernas llenas de llagas, muñones sucios... Mariana cerró los ojos. El coche se detuvo en el puerto. El mar era muy verde, igual que en la playa de los cantos, pero inmenso, enorme y frío como una pesadilla, y las olas se lanzaban violentas contra los muros, saltando a veces por encima, como si fueran a tragarse a quien se atreviera a acercarse al borde de los muelles. A un lado del puerto se agitaban sobre las aguas los barcos que ella veía pasar desde la colina, pero ahora, despojados de velas, parecían esqueletos desnudos, como los árboles en invierno. Había muchos hombres, peones sucios y deslenguados que gritaban y maldecían mientras empujaban las carretillas, aguijaban a las mulas, y subían y bajaban cajas y toneles de las naves. Pero no vio mujeres, ni niños, ni capitanes barbudos, ni esclavos negros altos como torres, no oyó cantos misteriosos, ni lenguas extrañas... Entonces se quedó inmóvil junto al coche, silenciosa, muerta de miedo y de nostalgia: el mundo era feo, grande y sucio y feo, y ella se sentía diminuta y débil, una pobre niña pequeña y débil que temía asfixiarse en medio de un mundo grande y feo... Quería regresar a Belbec, sentarse junto al fuego del salón, donde hacía calor, adormecerse en el sosiego de la torre de la iglesia, bajo los árboles del parque, oyendo a lo lejos el sonido de caracola del mar sobre los cantos... Pero el padre, riéndose, la empujaba hacia el gran pontón que se internaba en el agua desde el muelle, muchos metros adentro, sobre altísimos puntales de madera entre los que se agitaban terribles las olas. Mariana tuvo miedo, e intentó resistirse, pero la mano firme del hombre la obligaba a caminar por los tablones, mientras las olas terribles rugían a sus pies. Madame de Montespin gritaba y se reía, despeinada su larga melena roja por el viento feroz, se agarraba al marido que la estrechaba contra sí y la empujaba luego rechazándola, dejándola sola en el pontón, sola contra el viento, sola sobre las olas asesinas, en aquel juego en todo semejante a su propia vida. Mariana sentía la mano poderosa en su hombro, dirigiéndola y protegiéndola a la vez. Oía el rugido del mar, y los gritos y las risas de la madre, y los chillidos de las gaviotas que se adentraban sobre las aguas y volvían luego a tierra. Veía a su alrededor aquella inmensa extensión inacabable de verde y gris, y sabía que si la mano caliente y firme se alejaba de ella, aunque sólo fuese durante unos instantes, su cuerpo comenzaría a temblar y todo el miedo y la angustia le reventarían en la garganta... Pero la mano, implacable el pulso, no cedió.

Del regreso apenas se dio cuenta. Almorzaron en un hotel elegante de la ciudad, silenciosa Mariana, asustada, atónita del descubrimiento de su miedo, y apenas iniciado el camino de vuelta se durmió en el coche. Alguien debió de llevarla en brazos hasta su cama y allí, al despertarse en la mañana, se supo segura y a salvo, caliente en el lecho adonde vendría a buscarla Marie, que le pondría despacio, con mimo, la camisa y los pantalones, las medias luego, y el vestido crujiente, y peinaría su pelo suavemente para no hacerle daño... Recordó que cuando se abriesen las grandes contraventanas podría ver el cielo y la hierba de cada día, la torre inmensa y firme de la iglesia, y los tejados de las casitas y los campos que se perdían a lo lejos, en los que ya estarían pastando las vacas y cinco o seis caballos... Pensó en el desayuno que tomaría en el comedor, como cada día, sentada en la esquina de la mesa, junto a su madre. Imaginó el placer del pan caliente y el tintineo de las tazas en la gran bandeja, los pasos lentos, como si arrastrase un poco los pies, de Annick, que vertería la leche en su taza, así, desde lo alto, oliendo a almidón su delantal tan blanco, y se retiraría luego con una reverencia leve. Vio la sonrisa de la madre, su ligero gesto incitándola a comer, y supo que ella nunca podría ser una niña viajera, una aventurera aguerrida sobre un cascarón de nuez en medio del mar. No, ella era como las hojas diminutas de las acacias que temblaban en la brisa, como las lagartijas que se escondían corriendo bajo las piedras al menor ruido. Ella necesitaría siempre la mano tibia y fuerte sobre su hombro, la presencia conocida y leal ante los ojos, el nido tranquilo de lo familiar.

# II

AQUELLA PRIMAVERA pasó sin que viniera el padre. Y esa ausencia era algo imprevisto, algo que se salía de la norma: monsieur de Montespin hacía siempre cuatro visitas anuales a Belbec, una en cada estación del año. Pero aquel mes de mayo llegó una carta, uno de los sobres azulados que, de vez en cuando, recordaban desde lejos su existencia. Madame de Montespin la olió antes de abrirla, como solía, espiando mientras cerraba los ojos el aroma de las manos de su marido, aquel agua que un perfumista parisino preparaba especialmente para él, desde hacía años, con esencias de tabaco y madera de sándalo, y que era ya una parte más de él mismo, su olor, como su voz o sus gestos o su manera de mirar, entre socarrona y enternecida. Luego rasgó el sobre temblándole las manos, y mientras leía, las lágrimas comenzaron a caer sobre el papel, formando manchas redondas en las que la tinta se diluía y borraba las palabras. Mariana se acercó a la madre, apiadada de su dolor:

—¿No vendrá, mamá?

Y ella, con los ojos cerrados, resbalándole las

31

lágrimas por las mejillas hasta el alto cuello de encaje del vestido, movió la cabeza a un lado y al otro, muy despacio, como si le costara trabajo realizar aquel ademán que hacía ostensible la verdad. Pareció luego que iba a destrozar el papel entre sus manos, pero corrigió el gesto y lo dejó lentamente sobre la mesa, planchando las arrugas con cuidado. La tinta diluida ensució sus palmas. Ella no se dio cuenta. Silenciosa, agitado el pecho bajo la seda malva, salió del salón. Mariana la vio después atravesar el prado hacia los árboles, vacilante el paso, y perderse luego entre los altos troncos. No la siguió. Sabía que aquella pena tan honda era sólo para ella. Se quedó allí, balanceando los pies, en el sillón verde, mirando fijamente el horizonte, por si la divisaba. Cuando al fin regresó, cercano ya el mediodía, parecía una sombra pálida que cruzase el parque, de prisa, como si el viento la empujara por la espalda. Se acostó sin hablarle siquiera. Mariana se quedó sola en el salón, pero abrió todas las puertas para poder oír los ruidos familiares, las cacerolas abajo, en la cocina, las toses de Joseph, la voz susurrante de Marie, las risas sofocadas de las criadas más jóvenes, los silbidos de Pierre en las cuadras... Comió de prisa, sin hambre, vigilando por el rabillo del ojo a Annick, temiendo que se fuera. Pero la mujer permaneció de pie junto al aparador, moviéndose tan sólo para recoger los platos y acercarse a servirla, en silencio. Mariana sabía, sin embargo, que a Annick le dolía el dolor de la madre: ella siempre había trabajado en la casa. El servicio de los señores de Tréville era una tradición en su familia desde hacía siglos, antes incluso de que el tatarabuelo Michel construyera el palacio. A madame de Montespin la había conocido de niña, cuando los abuelos aún vivían y todos se trasladaban a Belbec, en el mes de junio, porque en París apretaba el calor y la corte huía de la ciudad. Las familias antiguas, las que habían servido a los reyes de antes y tenían títulos interminables y auténticos retratos de antepasados, se refugiaban en sus viejas casas de campo, castillos poblados de fantasmas y recuerdos, y hasta de tesoros escondidos en los días sangrientos de la Revolución que, ahora, con el nuevo orden, aparecían a veces en pasadizos hundidos bajo antiguas murallas, enriqueciendo de nuevo a quienes ya habían tenido que deshacerse de las reliquias más preciadas. Los otros, los que acababan de llegar a la fortuna y se inventaban falsos árboles genealógicos para justificar títulos sin historia, construían en las costas palacetes absurdos que simulaban templos griegos o mansiones de maharajás, e invitaban a sus salones con alfombras de piel de tigre a los viejos nobles, empobrecidos por los años de exilio, la anulación de los antiguos privilegios y su renuencia a dedicarse a los nuevos negocios.

Así se habían conocido su padre y su madre. Hugo de Montespin, el bisabuelo paterno, había sido fabricante de zuecos en un pueblecillo cercano a Ruán. Tentado por la gloria y los posibles botines, partió hacia las heladas tierras de Rusia, dispuesto a conquistar el mundo bajo el imperio de Napoleón. Nunca más se supo de él. Su mujer, una campesina fea y espabilada, dio a luz nueve meses después de su marcha a un niño que más parecía, por lo rubio del pelo y la blancura nívea de la piel, hijo de un enemigo eslavo que de un soldado del emperador. Apenas recién salido del vientre de su madre, el pequeño Vincent, sin derramar una lágrima, sin lanzar un grito, se alzó sobre sus piernas y sus brazos, rollos aún de carne informe y tierna, miró fijamente a las mujeres que rodeaban el jergón, una por una, y luego, despacio, como si fuera aquello lo más natural del mundo, dirigió la cabeza hacia su madre, que lo observaba pasmada, ardientes todavía las entrañas del dolor, y sonriendo le mostró los cuatro pequeños dientes que anidaban ya en su boca de mamantón. Aquélla fue la primera señal del notable futuro que les aguardaba a ambos. Ya de pequeño, Vincent mostró una gran facilidad para mejorar de estado o, cuando menos, de alimentación: mientras su madre hacía los trabajos más sucios del antiguo palacio de los marqueses de Meurton, en el pueblo vecino, propiedad ahora de un rico armador que enseñaba a los invitados como suyos los retratos de los ilustres nobles de antaño, envueltos en pelucas y lazos, mientras ella, que había sido contratada por cristiana caridad hacia aquella pobre viuda de un soldado de los ejércitos de Francia, vaciaba orinales, frotaba con arena las ollas engrasadas de codornices o faisanes, y enceraba suelos de rodillas, con las manos siempre rojas y duras como las de un hombre, él, en lugar de jugar con los otros retoños del servicio que, ausentes los amos, correteaban por las escaleras y los patios, aprendía a hacerse imprescindible para los criados de rango superior: limpiaba los zapatos del mayordomo, sacaba brillo a los botones de los lacayos, corría al gallinero en busca de huevos para la cocinera o rebuscaba con el candil en lo más oscuro del sótano hasta encontrar aquel aceite milagroso para los muebles que nunca aparecía... A cambio, le daban bollos de pan blanco recién hecho, restos de cocido, algún trozo de pastel e incluso, los más ricos, en días de paga, unas monedas sueltas que el niño atesoraba con delicia en un hoyo que había excavado en el suelo terroso de la choza, donde su madre y él devoraban satisfechos las sobras, mientras Vincent, contemplando con admiración el cuerpo robusto y deforme de la viuda, decía: «Algún día, madre, seremos nosotros los que haremos caridad. Y tú vivirás en un palacio aún más grande que ése, y si lo quieres, las criadas se arrodillarán a tu paso.» Al amanecer, cuando la viuda Montespin faenaba en la casa propia, remendaba sobre los remiendos anteriores la ropa miserable, o barría el suelo de tierra, cada vez más hundido de la rascadura de las matas sobre su oscura superficie, Vincent hacía lo propio en la iglesia del pueblo vecino, aliviando al cura que rezongaba entretanto de un lado a otro del templo, empujaba sillas y enseres, por ayudar, y a veces caía de rodillas ante el altar para musitar de prisa un ave maría y proseguir luego las murmuraciones: «¡Si mi madre me viera, Señor, un hombre de Dios haciendo trabajos de mujeres que ninguna quiere hacer en este país de impíos revolucionarios...! Pero bien que vienen luego a misa los domingos, por si acaso, y piden los sacramentos cuando se ven morir, no vaya a ser que esté ahí arriba el Todo-

35

poderoso esperándolos, y a su lado el rey, pobre Luis, con la cabeza cortada, que la sujeta entre las manos como los santos de las estampas, aunque bien peinados que debe de llevar los rizos, sí señor, que guillotinado y todo sigue siendo el que era...» Y el cura, agradecido, enseñaba a Vincent a hacer las cuentas, en las que el niño se daba mucha maña, y hasta latines, pues ya lo veía él de estudiante en el seminario de Ruán.

Pero eran otros los planes del muchacho. Un día —hacía doce años que el padre había salido para Rusia, y nunca más se supo de él—, sacó las monedas del hoyo y convenció al vecino de que pusiera lo que faltaba para poder comprar una cordera, y juntarla luego con su macho: «Si son tres crías, dos para usted y una para mí. La cuenta es buena.» A los dieciocho vendió el rebaño, que había crecido entretanto como las espigas, cerró la casa y se fue con la madre a Ruán, en la carreta que llevaba las patatas y los quesos para los tenderos de la ciudad.

A los veintidós años, él y la viuda Montespin vivían en un piso modesto pero confortable, y tenían una criada. Vincent hacía toda clase de negocios por la ciudad, nunca del todo claros, pero siempre óptimos para él y los diversos socios con los que compartía pequeñas ganancias, en particular los empleados de los almacenes del puerto: compraba allí una partida de vino portugués picado y abandonado por el importador, y lo revendía después, a buen precio, como vinagre. O bien adquiría varios cajones de seda china, que llevaban años arrinconados a la espera de que un comerciante desconocido en el lugar viniese a buscarlos. Tiraba los rollos más estropeados por la humedad y la sal, cortaba cuidadosamente lo enmohecido y vendía el resto, a precio de saldo, a las tiendas más lujosas, que a su vez lo revendían, a precio de seda china recién importada, a las damas más elegantes.

Cuando cumplió los treinta años ya era rico. Sus barcos cruzaban los mares, trayendo y llevando marfiles y porcelanas, café y algodón, perfumes y piedras preciosas. La viuda Montespin era ahora madame de Montespin, y aunque seguía siendo igual de fea y algo más vieja, sus trajes y sus joyas llamaban la atención en la ciudad. En invierno, residía en un palacete del centro, recientemente adquirido a un marqués arruinado, rodeada de criadas que recogían los orinales, frotaban con arena las ollas engrasadas y enceraban los suelos. En verano, se trasladaba con dos doncellas a un balneario elegante, donde reposaba sus otrora fatigados huesos, aún robustos y, desde luego, más descansados, a la espera de que su hijo eligiera una propiedad, cerca del lugar natal, para levantar su propio palacio. Vincent —monsieur de Montespin ahora— contrató para hacerlo a un arquitecto greco-turco, muy de moda entre las grandes fortunas, que a pesar de sus orígenes, edificó un castillo renacentista, como los de los viejos favoritos de los reyes de Francia. Al fondo del jardín delantero, entre una cascada de rosas, el huérfano hizo levantar una columna con la siguiente inscripción: «En memoria de monsieur Hugo de Montespin, oficial del emperador Napoleón. Nació aquí. Murió en las estepas rusas.» Lo último, al menos, parecía bastante probable y calmaba su conciencia.

El día de la llegada de la nueva señora fue todo un acontecimiento en la comarca. Desde primeras horas de la mañana, las gentes se agolparon ante la verja de entrada al parque, que poco a poco fueron invadiendo, excitados, hasta alcanzar la escalinata de la puerta principal, donde se detuvieron de pronto. Al fin, al mediodía, apareció al trote el carruaje, tirado por dos caballos de blancura inmaculada, con hermosos blasones dorados en las portezuelas, las nuevas armas de los Montespin, compradas a aquel marqués arruinado que se había ido a los Estados Unidos de América. «Allí no hay más blasones que los del dinero», decía el buen hombre tragándose las lágrimas mientras recibía el pagaré. Ella, muy elegante en su traje de seda gris, luciendo sobre los encajes belgas de la pechera un gran medallón de oro macizo incrustado de rubíes, en cuyo interior descansaba un mechoncito de los cabellos eslavos de su hijo —cortado el mismo día en que, por vez primera, salió de la miserable pensión de Ruán donde se alojaban para hacer un negocio que se le había figurado rentable y lo fue en realidad—, descendió del carruaje lentamente, sin un traspiés, y exhibió sus recientes modales aristocráticos, aprendidos de las más estiradas damas de la ciudad, repartiendo sonrisas a diestro y siniestro y estrechando manos que rascaban ahora en su piel tratada con las mejores cremas de los mejores perfumistas de París, mientras se adentraba hacia el interior de su nuevo reino. Después mandó repartir vino y pasteles entre la muchedumbre, y recibió en el salón más noble de la casa al alcalde, hijo de una vecina que siempre la había tratado mal. «Mi madre murió, señora. Dios la tenga en su gloria y le perdone los muchos pecados», farfulló el hombrecillo entre dientes, intentando esconder las manos, sucias de las labores de la mañana. Y madame de Montespin, generosa, preguntó por la salud de unos y de otros, prometió arreglar la iglesia, que se caía de puro abandono, ofreció trabajo a quienes la habían ayudado de pobre, e incluso, en nombre de su hijo, préstamos sin interés para los asuntos del ganado y de las fincas.

Luego, resuelto ya el porvenir de las cosas, decidió solucionar el del árbol genealógico, y se aprestó pues a buscar digna esposa para su diligente hijo. El recién adquirido orgullo de madame de Montespin no llegaba al extremo de creerse a sí misma y a su retoño merecedores de entremezclar su sangre con la más antigua de la rancia aristocracia y así, a pesar de que ciertos titulados manifestasen en reuniones íntimas su deseo de asistir a las cenas del palacio de Meurton, ella se limitó a invitar a su hogar a comerciantes, abogados y hasta algún médico, que acudían, claro está, acompañados de sus orondas esposas y sus florecientes hijas, bien educadas y modestas como violetas del campo. De la corporación de los hombres de leyes surgió al fin la futura madame de Montespin: Hélène Ramis, hija de un obeso y sudoroso notario de Yvetot, fue la elegida. Las razones nunca quedaron muy claras para la viuda, que veía con cierto recelo cómo su pálido hijo hacía la corte con ardor a aquella pálida muchacha, flaca además como el palo de una escoba. Pensaba madame de Montespin que tanta palidez habría de ser perjudicial para la sangre futura. Pero se equivocó, pues si bien aquella nuera enfermiza falleció de sobreparto, dejando un viudo lloroso aunque pronto consolado en los brazos pecaminosos de otras mujeres de peor educación y más vistosa carne, el niño —que varón fue, a Dios gracias—, nació tal y como se recordaba que habían nacido desde siempre los niños de su propia familia, con la única excepción de su hijo: grande, encarnado y lleno de pelo oscuro y abundante.

La criatura fue llamada Hugo, en recuerdo de su abuelo, quien al fin y al cabo se lo merecía, pues con su desaparición había proveído a la buena suerte de la familia, que tal vez, de haber vivido él, seguiría dedicada a los zuecos y no habría alcanzado, a aquellas alturas del siglo —y mediaba ya el XIX— las riquezas inmensas y el nombre ilustre. Hugo fue educado por su abuela paterna entre puntillas y tirabuzones y, cuando fue preciso, entre rudimentos de lenguas extranjeras, matemáticas, geografía e historia tiernamente enseñados por blandos profesores. Al llegar a la edad de la primera juventud, aquel muchacho hermoso como un dios griego era un déspota mimado e ignorante que sólo entendía en realidad —y un poco— de caballos y de ropas. Encantador, eso sí, capaz de seducir con sus sonrisas a quien se propusiera. Pero completamente inútil. Su padre, que para entonces había comprendido que algún día tendría que abandonar a la fuerza en este mundo su fortuna, comenzó a preocuparse por su porvenir: ¿Sería capaz de dirigir semejante empresa aquel vástago, más parecido en carácter y talento a una linda muchacha casadera que al futuro responsable de un ejército de barcos y una ciudad de almacenes? Y entonces, a pesar de los gritos desesperados de madame de Montespin, que vislumbraba ya su muerte en soledad, ausente el niño de sus ojos, Vincent se llevó a su hijo a París e intentó hacer de él un hombre de provecho. En una cosa, al menos, tuvo éxito: al cabo de algunas semanas, se le habían abierto todas las puertas de los salones más elegantes de la ciudad y, en algunos meses, los corsés de las señoras más disipadas. El joven Montespin se convirtió pronto en un codiciado miembro de la excelsa sociedad parisina. Su encanto y su simpatía predisponían a su favor incluso a sus más enconados rivales. Era esperado con impaciencia en los palcos de los teatros, en los palacios de los bulevares y en los antros nocturnos de alegre reputación. Su vida transcurría de placer en placer, y tan sólo a veces se le fruncía el ceño ante la carencia momentánea de alguna ropa o aditamento que satisficiera por completo su ansioso afán de elegancia. Algunas mañanas —preciso es decirlo—, su rostro aparecía pálido, y un ligero hormigueo en las sienes le recordaba que tal vez, la noche anterior, había descorchado demasiadas botellas. Eran sus únicos momentos de malestar. El resto del día, Hugo era un joven feliz, despreocupado y feliz.

De los negocios paternos sólo aprendió una cosa: era bueno tener en quien confiar. Las primeras semanas de su estancia en París, antes de descubrir y ser descubierto para la vida ajetreada, acudió cada mañana con cierta puntualidad al despacho del padre. Monsieur de Montespin se empeñaba en explicarle ante grandes mapas las rutas que seguían sus barcos, cruzando medio mundo, los productos que se podían adquirir en cada puerto y los que a su vez podían ser vendidos allí. Intentó que aprendiera de memoria esas listas, y las de los nombres de sus navíos, y hasta las de algunos capitanes que estarían dispuestos a dar su vida por defender los bienes del patrón. «No lo olvides nunca, hijo: el único secreto para que un negocio funcione es generar confianza. Es preciso pagar bien a los empleados, tratarlos como si fueran parientes, incluso al más insignificante. Hay que responder siempre, con sensatez, eso sí, a sus cartas y a sus peticiones: la hija que se casa y necesita dote, la enfermedad de la esposa que obliga a gastos extraordinarios... De esa manera se sentirán miembros de una gran familia, y preferirán cortarse las manos antes que robarte, morir de cansancio con tal de que tus ganancias sean óptimas.»

De esos sabios consejos, Hugo hizo toda una filosofía: si no eres tan tonto como para pensar sólo en los demás y nunca en ti mismo, ni tan descortés como para que parezca que sólo te ocupas de ti mismo y nunca de los demás, la existencia puede transcurrir plácida y sin grandes sobresaltos... Y, como el fondo de su alma era bondadoso, no tardó en poner en práctica con la mayor naturalidad semejantes ideas. Y así, en las reuniones, sus más intensas palabras de elogio iban siempre dirigidas a las señoras más ancianas, o a aquellas que acababan de ser abandonadas por el amante y sufrían a ojos vistas los estragos de la inseguridad. Si un gobierno caía, él escribía una tras otra las tarjetas de felicitación a los nuevos miembros y las de condolencia a los antiguos. Y al encontrarse con el marido de alguna de aquellas damas que le permitían curiosear en sus tocadores primero y en su ropa interior después, le preguntaba tiernamente y con el mayor interés por sus achaques de reuma o la salud de su anciana madre...

Monsieur de Montespin padre se resignó pronto a su suerte: parecía evidente que el vástago jamás tomaría con firmeza las riendas del negocio familiar, dedicando, como él hacía, largas horas al estudio y la reflexión, en aquel gran despacho que miraba al Sena para no olvidar nunca la estrecha relación que unía su destino al agua y, sobre todo, el voluble temperamento de aquel elemento inabarcable y caprichoso que aun allí, bajo sus ventanas, en contenida corriente, cambiaba a cada instante, según brillase el sol —y era en esos momentos un curso azulado y plácido— o lloviese a cántaros y soplara el viento, y entonces el río oscurecido, como negruzco, se agitaba en amagos de olas que espumeaban y sacudían las barcazas, y a veces crecía de pronto, rugiendo como un monstruo, y amenazaba sobrepasar los muelles e inundarlo todo... Aquel eterno fluir, las transformaciones permanentes que él observaba con fruición minuciosa, como un científico analiza en su laboratorio los cambios del éter, le hacían comprender la delicada fragilidad de su imperio y, a la vez, le daban plena sensación de su poder: sin moverse de allí, sentado detrás de su enorme mesa, él tomaba decisiones que podían vengarse de las de la propia naturaleza, y con sólo escribir unas líneas, hacía subir los precios de un producto o caer los costes de una materia para compensar el retraso de la llegada de aquel barco atrapado por las tempestades en algún puerto de Asia. Sólo al atardecer, cuando los perfiles de los edificios del otro lado del Sena comenzaban a borrarse y el río se convertía en una mancha informe, monsieur de Montespin abandonaba sus papeles, sus mapas y sus pensamientos, y se entregaba a la noche parisina, a los placeres del estómago y de la carne que él vivía, no obstante, como una prolongación necesaria y feliz de su trabajo, y que solía compartir cuidadosa y magnánimamente con sus clientes o proveedores, e incluso con funcionarios o políticos de los que a menudo dependían licencias y dictámenes. Se divertía, pero siempre de una manera comedida y racional. Nadie recordaba haberle visto nunca borracho, ni se habían contado jamás de él historias semejantes a las que corrían por cuenta de otros, que se atrevían incluso a bailar medio desnudos sobre las mesas de los antros, perdida toda la dignidad, y ocasionaban grandes vergüenzas en ciertas familias y hasta algún que otro lance de honor, a pesar del desuso... No, él bebía sin excederse, cauto siempre para regresar a casa con el paso firme y la cabeza despejada; y en cuanto a las mujeres, jamás hurgaba en lo que consideraba de otros, y prefería simplemente pagar con generosidad por la buena compañía, nunca en exceso escandalosa. Pero su hijo no era así. A Hugo le gustaban la abundan cia y el desorden, y se aburría en cambio en el despacho, contemplando aquel río que nada le inspiraba a no ser, quizá, el recuerdo de ciertas casas apetecibles que había al otro lado, salvados los puentes. Los números le parecían todos iguales: tratárase de miles o de millones, de ganancias o de pérdidas, él sólo entendía de gastar. No obstante, monsieur de Montespin acabó aceptando sin angustia aquella realidad. En algunos meses tuvo tiempo de comprobar que, a pesar de todo, su hijo estaba bien dotado para hacerse querer. Y eso, si la suerte le acompañaba, podía ser suficiente. Al fin y al cabo, había en el negocio ciertas personas que, ausente él, serían capaces de mantenerlo activo y próspero, y que jamás traicionarían la causa del patrón ni de su heredero. Alguna mañana, sobre todo cuando el río estaba revuelto y oscuro, se le pasaba por la cabeza la imagen de la ruina: el palacio de Meurton cubierto por las ortigas, los barcos desarbolados e inertes en algún dique seco, sus tesoros subastados, la gran casa de París vendida a algún hijo de campesino avispado que pondría un «de» ennoblecedor a su nombre y compraría blasones —quizá los mismos que él había comprado— para lucirlos en las puertas... Pero en seguida, cuando las gotas de sudor comenzaban ya a humedecer su frente, las limpiaba con un gesto rápido de la mano a la vez que borraba aquellas imágenes dolorosas y se resignaba al optimismo.

Entretanto, alrededor de Hugo de Montespin se había creado un aura de leyenda. Sus hazañas eran comentadas por todas partes, y muy envidiadas. Raro era el mes en el que no se oían en algún salón, en medio de un corro de cigarros humeantes, frases como ésta, dichas a media voz para que las damas intuyeran sin entender: «El joven Montespin ha logrado seducir a la inquebrantable mademoiselle de S. Se pasó seis meses haciéndole la corte, poniéndole los ojos tristes, rozándole la mano con pasión cada vez que tenía la oportunidad y diciéndole al oído palabras de amor... Hasta que cayó.» Y los cigarros temblaban en las bocas, agitadas por la envidia y el deseo. Delante de él, sin embargo, jamás se comentaba nada: todos sabían que el joven Montespin, a pesar de enorgullecerse de sus triunfos, nunca hablaba de ellos en público. Le bastaba con lo que decían los demás —era más elegante, sostenía—, e incluso, si se le interrogaba, solía negar con firmeza los rumores, seguro como estaba de que nadie le creería.

A decir verdad, Hugo de Montespin no era un seductor vil y despiadado. Incluso a veces, en la soledad de su habitación, se atrevía a confesarse a sí mismo que, en realidad, era él el seducido. Las mujeres le fascinaban. En todas y cada una de ellas, al menos hasta una cierta edad, encontraba un motivo de deseo que pronto se volvía irrefrenable: podía ser la mirada, o el color de la piel, o la textura de los labios, o el tono de la voz, o la sonoridad de la risa, o la punta de la lengua entrevista un día, o los rizos que caían dorados por la nuca, o la negrura azulada del pelo que se desplegaría, suelto, como un tapiz sobre la espalda, o la palidez del escote, o las manos demasiado grandes o demasiado pequeñas, o la cintura estrecha o el busto generoso... No importaba con tal de que formara parte de un cuerpo de mujer. En las jóvenes solteras veía el encanto de la inocencia, en las casadas maduras, el irresistible hechizo de la veteranía. Si eran virtuosas, le parecía aquello un don de los cielos que él se mostraba dispuesto a desbaratar. Si ligeras, un regalo de la vida del que intentaba gozar con presteza. Por todas ellas sentía pasión, auténtica pasión, un deseo desbordado y obsesivo que se sumaba al deseo de las otras, componiendo así un mundo de ansias sobre el que ellas, las mujeres, dominaban como diosas altivas y arrogantes. Cuando las perseguía, como a mademoiselle de S., diciéndoles melindres y mirándolas con ojos lastimeros, o cuando ya las había conseguido y se entretenía a su lado hablándoles del placer, Hugo era sincero. Si alguna vez confesaba deseos de morir por el contumaz rechazo de una beldad inaccesible, era porque realmente los sentía, aunque sólo durasen unos instantes, los suficientes para que otros ojos, el gesto de otras manos atrajesen su anhelo. Si admitía no haber experimentado nunca gozo más intenso, era cierto que, en aquel momento, junto a aquel cuerpo, olvidaba todos los demás, incluso el que había acariciado horas antes con la misma minucia temblorosa con la que ahora medía la hermosa curva de aquellas caderas aterciopeladas, o el justo tamaño del hueco de las axilas... Por eso, y por la sinceridad anclada en su buen corazón, y por su permanente deseo de no hacer daño y no ser odiado, Hugo jamás hablaba de amor. A pesar de su juventud, nunca se había engañado: sabía que la intensidad de su sentimiento era semejante al esplendor de esas flores que se abren al amanecer, ahítas de vida, pujantes de hermosura, y acompañan luego al sol en su caída, disfrutado ya el cenit de su breve e intensa existencia, y se debilitan en la tarde, languideciendo, hasta que sus pétalos pierden todo brillo, toda tersura, y se desploman finalmente dejando tan sólo un rastro apenas perceptible en el aire, una ligera marca sobre el tallo, la leve estela de un recuerdo borroso ya al instante siguiente... Y ellas, las mujeres, le agradecían su franqueza: ninguna, ni siquiera quienes más lo amaban, pudieron declararse nunca traicionadas por aquel hombre que jamás hacía promesas ni hablaba del corazón.

Tan sólo había una persona en el mundo por la que Hugo sentía un afecto permanente, una ternura que a veces le subía hasta la garganta y quería salírsele por la boca: su abuela, la viuda Montespin, a cuyos brazos cálidos y firmes él acudía, como un niño, cada Navidad y cada verano. Junto a ella olvidaba incluso el ansia de otros cuerpos, pues le bastaba para sentirse dichoso aquel cariño profundo, los cuidados permanentes que ella le prodigaba, las largas tardes pasadas a su lado, mientras ella desgranaba recuerdos nunca disimulados para él, y le acariciaba el pelo con sus manos suaves, cubiertas ahora de manchas y retorcidas de la vejez de los huesos, mientras le relataba una y otra vez los tiempos en que eran ásperas como matorrales de brezo, y le servían para ganarse el pan, más bien escaso y duro, que comían ella y su hijo... Hugo jamás se cansaba de escuchar aquellas historias, y él, que conocía a tantas damas llenas de melindres, capaces de estallar en sollozos si perdían una de las diminutas piedras del broche de su collar, y a tantas muchachas frescas y despreocupadas que acabarían sus días, sin duda, borrachas y enfermas, recogidas si tenían suerte por monjas antipáticas como arrieros, admiraba con todo su corazón a aquella mujer que no se había doblegado ante la vida y, de miserable campesina analfabeta, había sido capaz de convertirse a sí misma en gran dama. A veces incluso, mientras estaba en Meurton, le daba por pensar durante la noche que, cuando llegara el momento de casarse, le habría gustado elegir a alguna muchacha de la región, una joven pueblerina fuerte y sana, que no se arredrase ante nada y supiera sujetar firmes las riendas del hogar. Alguien que se pareciera a su abuela. Sin embargo, desechaba rápidamente la idea, pues sabía que los planes para él eran otros: desde pequeño, Hugo había oído hablar a su padre de aquel futuro matrimonio que tendría que unir la sangre joven y rica de los Montespin con la envejecida y pobre, pero adornada de títulos, de alguna gran familia noble.

Madame de Montespin se murió una tarde de un mes de julio, a punto de cumplir los ochenta años. Había estado muy parlanchina todo el día, risueña y coqueta. A las cinco, a pesar de que hacía tanto calor que hasta los pájaros buscaban refugio en lo más umbrío de los árboles y evitaban exponerse a los rayos despiadados del sol, dijo que tenía frío. Dio órdenes precisas para que encendieran el fuego del salón y mandó buscar uno de sus abrigados chales de invierno. Cuando atardecía, la criada que le llevaba la cena se la encontró dormida en su sillón. Pero al acercarse a despertarla, supo que estaba muerta, porque las manos, que sujetaban el chal sobre el pecho, se habían vuelto grandes y rojas, como si se hubieran erizado e hinchado, llenándose la palma suave de callosidades y asperezas, como si fueran de pronto manos de hombre, o manos de campesina fuerte y dura, acostumbrada a ganarse con ellas el pan...

Para cuando monsieur de Montespin decidió que ya era hora de que su hijo se casase, hacía años que su madre descansaba en la iglesia de Meurton, bajo el peso invencible de su propia estatua en mármol, arrodillada en un gesto de humildad —probablemente destinado a Dios— que nadie le había conocido en vida. Hugo ya no la lloraba, pero no había sido capaz de sustituirla en su corazón: ninguna mujer, jamás, había acariciado su cabello como ella, ninguna había logrado retenerle a su lado más allá del tiempo justo para el placer, ni interesarle con su conversación... Estaba a punto de cumplir los treinta años, y era aún más hermoso, más deseable que en su primera juventud. Pero a su padre, que todavía acudía a diario al despacho —aunque ahora necesitase apoyarse en un bastón para subir las grandes escaleras—, le dio por pensar que pronto sobre su cuerpo habría de levantarse una estatua semejante a la de su madre y que, para entonces, para cuando tuviera que arrodillarse ante Dios, quería estar seguro de que en la tierra dejaba rastros abundantes de su sangre y, en ella, tal vez, la magnífica capacidad para los negocios que su hijo no había heredado. Decidió pues que aquel mismo verano habrían de instalarse en Meurton durante dos o tres meses, y abrir al fin los salones de la casa a las familias nobles del país. Así se hizo. Y, al igual que cuando buscó novia para sí mismo —un acontecimiento que ahora no podía dejar de recordar, persiguiendo entre los pliegues de su memoria la imagen ya olvidada de Hélène—, comenzaron a desfilar por el castillo padres y madres que arrastraban tras de sí muchachas pálidas y algo avergonzadas al pensar que un día no lejano sus cuerpos intocados podrían quizá confundirse con el de aquel hombre apuesto y sonriente, en un abrazo sólo intuido gracias a ciertas lecturas a escondidas, pero cuya fantasía ponía color en sus mejillas apenas él las miraba. Sin embargo, a monsieur de Montespin padre le parecía que en algo diferían aquellos encuentros de los antiguos: ahora, las mujeres que pasaban por la casa lucían menos joyas, y los hombres —condes o marqueses, o ambas cosas a la vez— se le antojaban menos orondos que los de entonces, quizá, suponía él, porque sus menguadas fortunas no diesen para servir muchos platos en la mesa, y a veces ni siquiera pocos...

Fue el caso que una de aquellas noches invitaron a los condes de Léon y a los marqueses de Tréville. A los primeros los acompañó una hija fea y bigotuda como un carretero, de voz ronca como la de un carretero, tan fea, tan bigotuda y tan ronca, tan parecida en todo a un carretero, que ni siquiera Hugo fue capaz de encontrarle el menor atractivo. Los de Tréville, en cambio, maduros retoños ambos de familias que habían sido conocidas en los tiempos pasados por diversos encantos y ardores diversos, vinieron con sus tres hijas, tres muchachas prometedoras como uno de esos amaneceres de verano, cuando la brisa ligera y el sol que se despereza anaranjado sobre un cielo muy pálido, manchado de nubecillas suaves, anuncian largas horas de delicias, una atmósfera cálida y serena, y, a golpes, un remolino risueño de frescura. Las tres eran hermosas, aunque de diferentes maneras: Alicia, la mayor, llevaba en la sangre un fuego árabe, y era fácil imaginarla, con sus ojos oscuros y la piel tan mate, envuelta en sedas de colores innombrables, descalzos los pies sobre una arena ardiente, al fondo las palmeras, y en las manos, antiguas sabidurías de libros secretos... La pequeña, Mercedes, mostraba con orgullo una belleza como de princesa medieval, despejada la frente, pálidas las pestañas sobre unos ojos transparentes que desmentían, sin embargo, su aspecto inocente abriéndose y cerrándose coquetos, entendidos, dignos herederos de siglos de juegos y seducciones... En cuanto a Teresa... ¡Ah, Teresa! Aquella mirada de mar, pero de mar donde ardiesen —divino milagro— fuegos que brillaban anaranjados, chispas irisadas a la luz, y la perfecta palidez rosácea de los labios, y el cuello frágil que se prolongaba en un cuerpo delicado como el de una miniatura, como una pastorcilla de porcelana que pudiera quebrarse al menor gesto brusco, y que pareciese suplicar, sin embargo, una mano que la acariciase, suave primero, con la punta de los dedos, despacio, apretando después, abrazando y comprometiendo... Y, por encima de todo, estaba el cabello, una corona encendida como el sol en la tarde, como mil hogueras que ardiesen a la puerta de un castillo, densa y suave como el terciopelo, el cabello rojo y magnífico de la abuela española...

Y Hugo de Montespin ansió aquella belleza extendida sobre su almohada, quiso tocarla, acariciarse y acariciarla, y hundir el rostro en ella, perderse en aquella extensión de hermosura que debía de oler a fuego y a agua, a nube y a pozo hondo... Teresa movía a veces la cabeza, y algunos mechones ligeros se escapaban a las horquillas y quedaban flotando en el aire, como si ella los ofreciese a las manos avezadas y prestas que supieran apresarlos...

Dos meses después de la boda, Hugo de Montespin quiso regresar a París: tenía la sensación de que el corazón le latía muy despacio. No podía soportar más el amor de su esposa. La súplica de sus ojos, el temblor de sus manos mientras lo acariciaban, el sigiloso, anhelante silencio cuando se apretaba contra él, en las noches, le angustiaban. Le resultaba insufrible la permanente necesidad que ella tenía de su presencia, la palidez de su rostro cuando él le anunciaba que se iba por unas horas a Ruán, el brillo de los ojos y las risas y el entusiasmo mientras corría hacia él, para abrazarlo desesperadamente, cuando regresaba, mohíno y apesadumbrado, después del breve tiempo de libertad... Por primera vez en su vida, no era feliz. Al encontrarse por las mañanas sobre la almohada aquella espléndida melena roja, por la que ya no sentía más que indiferencia, y después su sonrisa miedosa y sus ojos de cachorro suplicante de caricias, sentía que se ahogaba... Si se quedaba más tiempo junto a ella, se volvería cruel, le haría daño, tal vez hasta desearía un día matarla, por librarse de su mirada de súplica, del temblor de sus manos, de la palidez del rostro cuando él no estaba... Si se iba ahora, ella todavía podría vivir con la esperanza de ser amada. Y él sería de nuevo feliz, y lejos, libre, volvería a desearla como la deseó antes, y correría a su lado para envolverse en su pelo, con el que soñaría, ansioso, ante los fuegos encendidos y los terciopelos carmesíes de las logias, en los teatros...

Cuando él le anunció su partida, Teresa no dijo nada. Ni siquiera lloró. Le pareció que, de pronto, un animal andaba escarbándole por dentro, arañándole las entrañas, chupándole los sesos, mordiéndole, despiadadamente, el corazón... ¿Cómo podría soportar ahora los días sin él, las largas noches sin él, en las que volverían el miedo, los latidos terribles, la presencia constante de la muerte que, desde niña, se instalaba junto a su lecho, y la miraba sonriente, muda hasta que amanecía...? Pero no dijo nada. Tan grande era el terror a la ausencia definitiva, que no dijo nada. Sin llorar, con el animal escarbándole por dentro, hinchándosele ya el vientre en el que crecía, aún desconocida, Mariana, dejó Meurton para instalarse en Belbec, sola. A esperarle.

Él tardó mucho en regresar. Tanto que, para entonces, la niña estaba ya a punto de nacer. Luego, confiado en su suerte, se acostumbró a las cuatro visitas anuales. Su vida seguía siendo, en París, una cascada de placeres. Incluso después de muerto el padre, él llevó la misma existencia, despreocupado, sabiendo que el respeto que sentía por sus hombres de confianza, el buen trato que daba a cada uno de sus empleados —a la mayor parte de los cuales, sin embargo, nunca llegó a conocer—, jamás serían traicionados. Y siguió acariciando cuerpos que no admitían rival, buscando frenéticamente bocas cuyo sabor no era comparable a ningún otro, perdiéndose en éxtasis que se le antojaban únicos... Pero de cuando en cuando, la llama roja del cabello de Teresa, el cuello delicado de Teresa, los ojos verde mar de Teresa aparecían en sus sueños. Entonces regresaba a Belbec y saciaba el deseo en ella, que lo recibía temblorosa, casi transida, como si el que llegaba fuera un moribundo salvado de la muerte, en el último instante, al que se abraza de nuevo —después de haberle llorado tanto—, igual que se abrazaría un milagro hecho carne, o al propio Dios. Él la gozaba con codicia, preguntándose cómo había sido capaz de vivir tantos meses lejos de aquel cuerpo delicado y hermoso... Pero al cabo de unos días, el cansancio volvía a dar alas a su deseo. Entonces se iba, tranquila la conciencia, convencido de que sólo así se salvaría su matrimonio. Sin embargo, al despedirse, al decir adiós ya desde el coche, se le ponía como una lástima en el corazón, un malestar que iba a durarle —lo sabía— hasta alcanzar el bosque de Tréy. Teresa nunca salía a despedirlo. Le faltaba el valor. Pero en la terraza agitaba su manita Mariana, aquella niña callada y tibia que era suya, y a la que él, sin embargo, contemplaba con estupor, como se contempla el mal retrato en el que uno mismo aparece representado, con un rostro igual pero ajeno, un rostro idéntico en el que se ha mezclado, por error, el aliento de otra alma... La veía empequeñecerse en la distancia, y durante algún tiempo sentía un cariño borroso y compasivo, semejante al que le provocaban las muchachitas pobres que se acercaban a él en los bulevares, apenas cubiertas por un chal oscuro, en pleno invierno, vendiendo flores con la voz, pero ofreciendo con los ojos aquel cuerpo helado y tembloroso a cambio de comida y calor...

Sin embargo, algunas veces, como aquella primavera, Teresa no llegaba a sus sueños. Entonces él no venía a Belbec. Y ella, madame de Montespin, esperaba, casi desesperada, la próxima aparición de la luz en su vida.

# III

CUANDO MARIE ABRIÓ aquella mañana las contraventanas del dormitorio, la niebla ya estaba allí. Mariana, que había saltado de la cama al oírla entrar, volvió a meterse debajo de las mantas, mohína, apretando un poco los labios, igual que cuando era niña y se enfadaba, y para demostrar que estaba enfadada cruzaba los brazos e hinchaba los carrillos, y se negaba a hablar. Llevaba semanas esperando aquel día, confiando en que hiciera sol y poder así lucir su ropa nueva. Madame de Montespin se la había encargado hacía algunas semanas, después de recibir la carta del padre. Mientras la leía, sus mejillas enrojecían, como si estuviera gozando de alguna confidencia íntima. Mariana aguardaba, callada. Pero ella, al terminar, volvió a releerla rápidamente, pasando los dedos sobre el papel y la tinta, como acariciando, y luego la dobló con cuidado, se levantó, la dejó sobre el escritorio y volvió a sentarse. Su voz era muy queda:

—Tu padre vendrá para tu cumpleaños.

Mariana se sorprendió: aunque monsieur de Montespin solía escribirle en aquellas fechas de mayo felicitándola, sus visitas nunca habían coincidido con su aniversario. La madre bajó aún más la voz, como si le costara decir lo que tenía que decir:

—Vendrá acompañado. El príncipe de Scarpia viajará con él.

Mariana alzó las cejas, inquieta: su padre jamás había traído a un amigo a casa. Madame de Montespin volvió la vista hacia el jardín, como si hablase a los árboles, o al cielo:

—Tu padre opina que hemos de empezar a pensar en tu matrimonio.

En la cabeza de Mariana resonó un eco. No pudo decir nada. Salió corriendo hacia el parque, y corrió hasta llegar a lo alto de la colina, justo desde donde se veía el mar, y allí gritó, chilló fuerte, ahogándose, para sacarse de dentro aquella cosa terrible que la estaba asfixiando... Sólo entonces rompió a llorar. Tenía miedo, miedo, y temblaba, tiritaba toda al pensar en la gente desconocida a la que debería conocer, en las casas desconocidas por las que debería caminar, en aquel hombre desconocido, cuyas manos tocarían las suyas y también su cuerpo, que querría ahondar en zonas oscuras, metérsele dentro, hacerle daño y tal vez acostumbrarla a las caricias y al brazo firme y a la voz profunda, y que luego la dejaría sola, esperándole, sola, desesperada y sola...

Al atardecer, cuando regresó a la casa, madame de Montespin estaba bordando. Mariana la vio al otro lado de los cristales, y los ojos volvieron a llenársele de lágrimas: aceptaría, estaba segura de que aceptaría... Igual que había aceptado todo, las ausencias, los engaños, las visitas fugaces, la cruel indiferencia de aquel marido y padre que era en sus vidas apenas una sombra, dolorosa y pesada, como una piedra metida dentro del corazón... Pero la madre, al verla entrar, levantó el rostro y, quizá por vez primera en su existencia, Mariana notó un brillo de entereza en su mirada, un gesto de fortaleza en las manos, como un relámpago de decisión en la voz:

—No vas a casarte. Todavía eres muy joven. Hablaré con tu padre.

Y supo que era verdad. Quiso entonces abrazar a la madre, poner la cabeza en su pecho para oír los latidos del corazón, igual que cuando era pequeña y aquella cadencia leve y firme alejaba de ella las sombras... Pero madame de Montespin, afanosa de pronto, abría ya sobre la mesa las revistas de moda que a veces llegaban desde París.

—Hay que encargarte ropa. ¡Casi ni me había dado cuenta de que vas a cumplir dieciocho años...! No quiero que te vean así, vestida como una niña provinciana. Cuando yo tenía tu edad, mi madre mandaba hacerme los trajes más bonitos.

Y pasaba las páginas, y hacía gestos, comparaba de un vistazo siluetas y volúmenes, rechazaba, se entusiasmaba, y Mariana reía, feliz, sabiendo ahora que estaba protegida, segura, alejados los fantasmas que ella, la madre, sabía conjurar, al amparo de los viejos muros de la casa del tatarabuelo Michel, bajo la sombra protectora de los robles centenarios, plantados allí para dar fe de las raíces y del poder.

Pero aquella mañana, precisamente el día de su cumpleaños, había niebla, y no había podido ponerse el vestido más bonito, el de seda rosa y pequeñas flores malvas, que era demasiado ligero y, además, repetía Annick los días anteriores, precavida, «con la humedad que entra de las brumas —que aunque esté cerrado a cal y canto parece como si esas nubes del infierno se colasen por las rendijas—, una ropa tan fina se quedará mustia, y toda se arrugará, y habrá que dársela a las doncellas...». De cualquier manera, ahora estaba vestida de negro, con un traje que le quedaba grande, algo dobladas las mangas, y que arrastraba por el suelo haciendo un ruido como de insectos que reptasen sobre las maderas, ropa vieja de la madre, quizá la misma que ella se ponía cuando morían los abuelos, aunque Mariana era tan pequeña entonces que ya no lo recordaba... Marie la había buscado en los baúles de la buhardilla, y la plancharon rápidamente, pero no consiguieron quitarle aquel olor a polvo, quizá también a salitre ranciado por los años, y a nidos de polillas, aquel olor que la estaba mareando y que se hacía aún más fuerte ahora que había abierto las ventanas por librarse de él, y la niebla entraba en la habitación, jirones de frío que le dejaban pequeñas gotitas sobre el cabello, y las manos enrojecidas ya, ateridas, mientras ella sólo pensaba en vomitar, echarse de la cabeza aquel olor insoportable que iba a tener que llevar dentro toda la vida, y que no la dejaría dormir ni respirar... Tuvo una náusea, y susurró: «Mamá...» Pero su madre estaba al otro extremo del corredor, tendida sobre la cama, con el her-

moso vestido de novia bordado de plata —y Annick sollozaba: «Aún le vale, igual que cuando
tenía veinte años...»—, el pelo de fuego alrededor del rostro, y la sonrisa, aquella sonrisa inmensa y profunda, como el canto de un pájaro
que suena de pronto en el silencio de la nieve,
como la orquídea que brilla solitaria y magnífica
en lo alto del acantilado blanco. La sonrisa que
jamás tuvo en vida.

Así la habían encontrado por la mañana. Teresa de Montespin, acurrucada en el lecho, más
hermosa que nunca, aún más resplandeciente su
cabello de terciopelo y más frágil el cuello, pero
muerta, acallada por siempre su voz queda, perdidos los ojos de mar que mirarían ahora, por
siempre, Dios sabe qué misteriosos espacios, silencioso ya el corazón, en el que no cabrían la
pena, ni el miedo. La muerte, que desde pequeña la acompañaba mientras dormía, había abierto aquella madrugada sus brazos, y tal vez le
había regalado, generosa, a Hugo, sí, Hugo llegando a escondidas, abriendo suavemente la
puerta del cuarto, sentándose luego a su lado, en
la cama, acariciándole el pelo, poniéndole en la
piel besos suaves y húmedos, diciéndole aquellas
palabras que nunca le había dicho, te quiero,
amada mía, mujer mía, mi único deseo, mi
amor... Y ella sonreía, feliz al fin, alcanzado al
fin el sueño, y el corazón, colmado, dejaba poco
a poco de latir.

Mariana no podía hablar. Ni siquiera llorar.
Sólo sentía náuseas, el olor espantoso, en medio
de aquel pozo sin fondo de la niebla que abarca-
ba ahora el mundo entero, que se tragaba los ár-

boles, y la iglesia, y las casuchas del pueblo, y la playa, y los barcos del mar, y el horizonte, y la bóveda del cielo, un pozo sin fondo en el que no había nada, nada salvo ella misma, sola, queriendo vomitar, y aquel olor insoportable que no la dejaría respirar...

Al día siguiente apareció el padre, consternado, recordando mientras el coche se acercaba a Belbec el delicado contorno del cuerpo de su esposa que le había dejado viudo, con la que ya no podría soñar para acudir luego a su encuentro, presuroso... Le resultaba difícil comprender que la muerte le hubiese privado así, de pronto, de aquel placer que le pertenecía. Cuando llegó a la casa, Mariana no salió a recibirle. Pero él, después de rezar algunos minutos ante el cadáver de su esposa y besarla en la frente, con los ojos llorosos —aunque sin decir palabras de amor—, fue a su habitación. Mariana seguía perdida en la niebla. Ni siquiera volvió la cabeza al oír el sonido de la puerta. Adivinó por el crujido distinto de las maderas que era su padre, pero no quiso mirarle. De pronto, la mano tibia y fuerte le acarició el pelo y se apoyó en su hombro. Mariana la recordó, aquella mano poderosa que alejaba el peligro en el pontón de Fécamp, mientras las aguas rugían bajo ella, aquella mano cuyo calor le llegaba hasta la piel, incluso a través de la ropa, y aún más dentro, como si de pronto el corazón helado volviera a latir, igual que el pajarillo recupera la vida entre las manos dulces que le sirven de nido, y al fin rompió a llorar. La mano se apretó sobre su hombro.

Aquella noche Hugo de Montespin cenó sin

apetito. A pesar de la compañía de sus amigos de Ruán, que habían llegado apresuradamente para compartir con él los malos momentos y se empeñaban en distraerlo con chismes nuevos y viejos recuerdos, estaba seriamente preocupado: ¿Qué iba a hacer con su hija...? Las voces pasaban revista a las últimas adquisiciones del mejor burdel de la ciudad, y él entretanto recordaba a Mariana tal y como la había visto aquella tarde —una figura borrosa, vestida de negro, que temblaba bajo sus manos—, y también cuando era niña, tan tímida y callada, tan insignificante que tenía que esforzarse por hallar su imagen escondida en la memoria... Siempre había vivido apegada a su madre, las dos solas en aquel caserón húmedo de Normandía, y ahora parecía que no podría seguir existiendo sin ella. Eso al menos le había dado a entender, con toda la delicadeza de que era capaz, la buena de Annick, y eso le había dicho, sin paliativos, el médico de Valmont, que, venido el día anterior para certificar la muerte de madame de Montespin, se había quedado a esperar la llegada del viudo: «Cuide de ella. Su cuerpo es fuerte, pero hasta los árboles más poderosos sucumben al poder del rayo. Y esta niña no ha conocido más vida que la de aquí, junto a su madre. Es probable que no consiga sobreponerse a la pérdida.» Pero él, ¿qué podía hacer él? No iba a llevársela a París: apenas la conocía, y sin duda sería un estorbo en su vida, un peso insoportable... Y dejarla sola en Belbec era una crueldad... Hugo de Montespin, mientras entretenía el tenedor sobre la carne tierna de las codornices, recordó al príncipe de Scarpia, con sus grandes carcajadas y su gran barriga, un marido perfecto para su hija —volvió a pensar—, por más que su difunta esposa lo hubiera rechazado, negándose a casarla tan joven y con un hombre tan mayor... Era cierto: ya había sobrepasado los sesenta, y probablemente la dejaría pronto viuda, pero colocada en el mundo. Alzó la mirada unos instantes y se encontró con los ojos acusadores de Annick que, frente a él, clamaban justicia. Y tomó la decisión: en cuanto regresara a París —solo, por supuesto—, le insistiría al italiano para que viajase con él a Belbec. En cinco o seis meses todo podría estar resuelto, aunque la novia tuviese que casarse de luto.

El funeral y el entierro fueron tristes, más tristes aún si cabe que otros funerales y otros entierros, quizá a causa de la oscuridad del mundo, aún comido por la niebla, o del incesante repique de la campana, en el que se entremezclaban en confusos espacios de tiempo el toque de difuntos y el aviso a los navegantes, o de la torpeza del cura, que nunca se había entendido bien con los latines ni con los muertos, y que aquel día, entreviendo al fondo de la nave oscura el sepulcro abierto donde Teresa habría de ser enterrada junto a sus padres, sentía como un soplo de aire helado en la nuca —vivía atormentado por la idea de que Dios le iba a castigar por sus muchos pecados carnales, y en noches de borrachera soñaba que se abrían las tumbas a sus pies, y que una cohorte de negros diablos lo arrastraba a las simas del horror—, y olvidaba cada dos por tres las oraciones, interrumpiendo el oficio y provocando el desconcierto en los fieles, que no sabían muy bien qué responder ni si debían permanecer arrodillados o ponerse en pie. Pero lo que más tristeza daba a aquel funeral era el escaso número de asistentes: junto a la puerta, en las últimas filas de sillas, se amontonaban los vecinos del pueblo, que, como siempre desde que existía el villorrio, celebraban casi de igual modo bautizos y entierros de los señores. Algo más adelante, las criadas de la casa sollozaban, y los hombres agachaban la cabeza. En las primeras filas, los amigos de Ruán rodeaban al viudo y a su hija, aún muda, secos de nuevo los ojos, tan pálida que su rostro había adquirido cierta semejanza con el de la madre muerta. De vez en cuando, la tía Alicia, a su lado, sujetaba su mano y la miraba con fingida piedad. Había llegado aquella mañana, aún muy hermosa pero rolliza como una *prima donna*, acompañada por su hija María Luisa, la más pequeña de sus retoños. Los demás —justificó apresuradamente, con su voz cantarina y atiplada— estaban fuera. Al resto de sus hijos se los había llevado la tía Mercedes a la Riviera, y no les había dado tiempo a regresar. El hermano Charles y su familia, entretanto, estaban instalados en Viena, donde el suegro tenía importantes negocios, y no se les esperaba hasta bien entrado el verano. Ella acudió corriendo en cuanto le llegó el telegrama, claro está, pero tenía que volver a París aquella misma tarde. «¡Qué dolor!, ¡qué pena irme así, tan rápido!, ¡ay, mi pobre hermana muerta! —y se acercaba el pañuelito seco a los ojos—, y esta niña, ¡pobrecita!, ni siquiera me puedo quedar con ella una noche, ¡qué pena, Dios mío!, ¡qué pena!, pero es imprescindible, de verdad, ¡qué más quisiera yo que no tener que acudir a esa fiesta, si tendré que ir de negro, y llorando!, pero a Lucien van a hacerle embajador, imagínate qué problema si por no asistir se estropeara el asunto, ya sabes que estas cosas de la política son tan delicadas...» Alicia no mentía del todo: la fiesta de los embajadores no existía, pero era cierto que ella tenía que estar en París, sin falta, al día siguiente, para acudir al encuentro secreto y anhelado con un oficial ruso, de paso por la ciudad, que se había entusiasmado con aquella belleza oronda y desparramada, de princesa árabe encerrada en un harén, entusiasmándola a su vez a ella con los muslos de atleta y el bigote de caballero de las estepas... El ruso estaba a punto de abandonar París, y aquél sería su último encuentro. Alicia, enamorada del amor, quería guardar cada instante de aquella cita en su corazón, que albergaba palabras, olores y momentos de placer como un estuche de joyas del que cada noche, antes de dormirse, extraía alguna que manoseaba tiernamente en su imaginación, besando a veces la almohada y susurrando un nombre, hasta que el sueño la vencía... Además, nunca había sentido demasiado cariño por aquella hermana que había sido rara desde pequeña —siempre silenciosa y encerrada en su cuarto, a solas—, a la que apenas había visto en muchos años y cuya melena de fuego tanto había envidiado... Tampoco su sobrina le era simpática. La ponía nerviosa con su silencio y sus ojos secos, que miraban tan profundamente, a pesar de la timidez, que parecía estar leyendo dentro del alma. «¡Ay, pobre niña!

—y le acariciaba la cara—, ¡qué delgada estás...! Este verano deberías venir a pasar unos días con nosotros en Trouville. Así te distraerás un poco. Piénsatelo...», y volvía a hacer como que sollozaba, mientras observaba, asombrada, el inmutable estado de la casa, en la que ningún cambio había sido hecho en muchos años.

Cuando la losa se cerró sobre la tumba, Mariana tuvo que taparse los oídos: los tres golpes fuertes, y las dos piedras frotándose después la una contra la otra, y el eco que resonaba, sin fin, en las bóvedas de la iglesia... Aquel estruendo insoportable, ensordecedor como si la propia muerte estuviese aullando en su cabeza, se le iba a quedar para siempre dentro, igual que el olor a polvo, y a salitre, y a nidos de polillas... Ella quería oírlo desde el otro lado, oírlo con los otros oídos, los de los muertos, sí, estar allí dentro, en aquella tumba oscura, junto a la madre, mientras la losa resonaba fuera, muerta ella también... ¿Cómo podría ahora regresar a la casa y seguir viviendo?

A la mañana siguiente, de pronto, salió el sol. Un sol de mayo joven y exuberante, que hizo que estallasen los capullos en los árboles y rompieran a cantar los pájaros. Mariana se había quedado dormida al amanecer, con las ventanas abiertas todavía a la niebla, que empezaba ya a irse, en busca tal vez de otra casa para emponzoñar. Nadie quiso despertarla, pero ella abrió los ojos a la hora de siempre, y al no ver a Marie en la habitación, tiró del cordón que resonó abajo, en la cocina. La doncella llegó corriendo, seguida de Annick, que renqueaba por las escaleras, presurosa, temiendo que le hubiera ocurrido algo. Pero Mariana parecía tranquila, aunque en el rostro se le ahondaban unas ojeras azuladas y enormes, como las de la madre.

—¿Se ha despertado el señor?

Annick tardó en responder:

—Aún no, señorita.

De pronto, la voz de Mariana, la pequeña Mariana, había sonado igual a la de madame de Montespin, y hasta en los ojos —oscuros sin embargo como los del padre—, parecía brillar la alegría de la difunta cuando el señor estaba en casa, y ella preguntaba por él, sabiendo que en algunos instantes lo tendría a su lado, y le besaría la mano, y le diría cosas hermosas, quizá palabras que sólo ella comprendía, referencias a los abrazos de la noche anterior, y a los susurros, y ella sonreiría feliz...

—Ocúpese del desayuno, Annick, por favor. El té muy fuerte, como a él le gusta.

Y la vieja criada se estremeció ahora: Mariana regresaba al fin a la vida, volvía a hablar y a ocuparse de las cosas... Sin embargo, a la alegría de verla recuperarse se mezclaba —y por unos instantes fue más poderosa— una incierta sensación de miedo, una vaga inquietud ante la voz, y el gesto, y las instrucciones, tan semejantes en todo a las de madame de Montespin.

Pero Mariana volvió en seguida a hundirse en su silencio. De pronto, mientras Marie la ayudaba a ponerse su ropa negra, se quedó mirándola fijamente, paralizada, un brazo ya dentro de la manga que se resistía a entrar, y la doncella tuvo la sensación de que estaba recordando, y de que el recuerdo era una negrura, una noche densa y fría que le apagaba de pronto los ojos y la voz... Su corazón volvió a helarse. Mandó cerrar las contraventanas, como si la claridad la ofendiera, y se quedó allí, a oscuras, con las manos pálidas y pequeñas cruzadas sobre el regazo negro, sin poder hacer nada para expulsar el olor nauseabundo y el ruido de la losa, que habían vuelto.

Por la tarde, sin embargo, el padre la vio bordando en el salón. Las doncellas estaban abajo, en la cocina, silenciosas, sentadas en torno a unas botellas de sidra, y Annick había ido a rezar ante la tumba. Monsieur de Montespin se fue paseando hasta la playa de los cantos, recordó el gusto de Mathilde por las caracolas y las conchas, y recogió algunas para ella mientras la imaginaba tendida en su cama con dosel de estrellas, entre cojines moros, con el perfume intenso que siempre impregnaba aquel cuerpo al que él se abrazaría pronto con deleite, en cuanto pudiera salir de allí sin que se notase demasiado que abandonaba a su hija, que, de todas formas, no parecía prestarle ninguna atención, ni siquiera ser consciente de su presencia en la casa. Pero al regresar por el jardín, la vio al otro lado de los cristales, aquella sombra oscura inclinada sobre la labor, en el mismo lugar en el que su esposa solía esperarle mientras él paseaba a solas... Por un momento creyó que era ella, y sintió un estremecimiento de pánico, pero casi en el mismo instante la sombra alzó la vista y pareció mirarle, y él siguió entonces su camino, sobresaltado, con el regusto del miedo aún en los latidos agitados del corazón. Cuando entró en el salón, Mariana ya había desaparecido. Pero el costurero de la madre estaba a medio cerrar, y de él asomaba, todavía tibia y un poco arrugada del contacto de las manos, la labor que madame de Montespin había dejado sin terminar.

Mariana volvió a encerrarse en su habitación el resto del día. Al atardecer, Annick encendió luces por toda la casa, poniendo velas allí donde no llegaba el gas. La vieja criada se deslizaba ahora silenciosa, evitando arrastrar los pies, como si el propio ruido de sus pasos la asustara. En la cocina, la gente del servicio hablaba tan alto, a pesar del luto, que sus voces se oían desde el salón. Aquella noche tardaron mucho en acostarse, y para entonces habían vaciado varias botellas de aguardiente. Incluso Annick, que jamás bebía y vigilaba concienzudamente los vasos de los otros, calló esta vez, y hasta tomó dos o tres tragos. Todos tenían miedo y, aunque no lo decían, cada uno de ellos había notado ya en la casa aquella especie de opresión, como una fuerza misteriosa que a veces obligaba a volver la cabeza, para encontrarse ante un vacío sospechoso y temible, en el que tal vez se intuía una vaga neblina, un súbito e inexplicable vibrar de las maderas, rozadas quizá por manos etéreas, un fulgor inmediato y huidizo... Todos recordaban —y al día siguiente comenzarían a repetirlas en voz alta— viejas historias que siempre habían oído contar: la del marido engañado, muerto en duelo con el orgulloso amante de su esposa, que vino la misma noche del entierro a buscarla y la estranguló en su cama, a pesar de que ella había cerrado con llaves y pestillos la puerta y la ventana de su habitación, que amanecieron intocadas... Y la del antiguo guerrero que se transformó después de muerto en caballo, y a través del más noble animal de su cuadra seguía hablando, dando órdenes a su ejército y hasta amando a mujeres... Sí, los muertos regresaban a menudo al mundo, aunque de otra manera, y a veces volvían locos a los vivos...

Nadie durmió bien aquella noche en la casa, salvo monsieur de Montespin, ajeno a toda superstición. A pesar del absurdo momento de inquietud de la tarde, en cuanto estuvo en la cama cerró los ojos, recordó por unos instantes a la princesa Stepova, cuyos bellos brazos se resistían todavía a anudarse en su cuerpo, y se quedó en seguida dormido, imaginando lo que habría de decirle la próxima vez que se la encontrase. Tampoco Mariana pensó en los fantasmas. A altas horas de la noche, sentada junto a la ventana, vio pasar una estrella fugaz que pareció caer justo sobre la torre de la iglesia. Entonces le entró un sueño repentino, y se acostó a tientas. Soñó con su boda: ella, vestida con el traje de novia de la madre, y un hombre a su lado al que no podía ver por causa de la niebla. Hacía calor. De repente, su velo plateado parecía engancharse en un jirón, y quedaba flotando entre las brumas. Entonces, el cabello despeinado le caía sobre los hombros, una corona encendida igual que el sol en la tarde, densa y suave como el terciopelo...

En los días siguientes, los criados parecieron acostumbrarse al prodigio: no había duda de que el espíritu de madame de Montespin había invadido a su hija, que se hacía ahora peinar igual que la pobre difunta, con aquel moño alto y un poco anticuado, y pasaba muchas horas en el salón, sentada en el mismo sillón que ella solía ocupar, terminando el bordado de racimos de flores y pámpanos. Hasta sus órdenes sonaban con aquel conocido matiz de timidez, como si pidiese disculpas por molestar, y se ocupaba de las mismas cosas: los platos para las comidas —siempre los favoritos del padre—, la hora a la que se cerraban los postigos, la manera de planchar de nuevo el mantel cuya esquina había quedado algo doblada en un descuido... Sin embargo, no parecía haber nada malo en aquella hechicería. Muy al contrario, aunque por momentos Mariana volvía a su ensimismamiento y dejaba que se levantase de nuevo a su alrededor aquella muralla que la alejaba del mundo, la mayor parte del tiempo se mostraba animada, incluso feliz. Y aquellos hombres y mujeres, acostumbrados a borrar las fronteras entre los mundos, aceptaron con total normalidad la sorprendente transformación. Annick, incluso, se acercaba por las tardes a la iglesia, después de cortar algunas ramas de las camelias o de las lilas que ya empezaban a florecer y, arrodillada ante la tumba, daba gracias a Dios y a su señora por el bien que le estaban haciendo a la pobre niña...

El único sorprendido era el padre. Monsieur de Montespin no alcanzaba a comprender por qué aquella muchacha huidiza y atemorizada había empezado de pronto a sonreírle, a buscar su compañía, a escuchar con arrobo las cosas que él le contaba —naderías sobre los salones de París, el paseo del Bois de Boulogne y los escaparates de las tiendas más elegantes—, o a sonrojarse cuando se daba cuenta de que la había estado mirando. Porque ahora la miraba a menudo: estaba descubriendo, asombrado, el extraño parecido de aquella muchacha con él y con su abuela: los rizos del cabello negro y espeso, los ojos oscuros, algo achinados, la nariz más bien grande, los labios demasiado gruesos para una mujer... Aquel rostro le resultaba tan familiar, que a veces creía verse en él a sí mismo. Y, sin embargo, los rasgos propios quedaban casi anulados por un parecido con la madre mucho más profundo, como si le saliese de debajo de la piel: las ojeras tan oscuras, aquella mirada temerosa a ratos, excitada y prometedora otros, la sensación de extrema fragilidad que no cuadraba bien con el cuerpo más bien robusto, y la manera de moverse, de inclinar la cabeza, de dejar la mano suspendida en el aire, unos instantes, antes de bajarla hacia el regazo, donde se cerraba intranquila, de levantarse sujetando la falda justo sobre la cadera, rozando largamente con los dedos el tejido, aquellos dedos que parecían acariciar siempre todo lo que tocaban... Estaba tan fascinado por el extraño proceso de reconocimiento, que había olvidado incluso su deseo de Mathilde, y dejaba que los días siguieran pasando, preguntándose qué nueva sorpresa se encontraría a la mañana siguiente, cuál sería su mirada al darle los buenos días, si sonreiría al aceptar un paseo juntos, si le insistiría para que comiese más del plato que ella misma le había elegido... A monsieur de Montespin ni se le ocurría pensar en cosas de fantasmas. Se limitaba a preguntarse cómo había podido vivir tantos años sin prestar atención a aquella hija cautivadora, y se congratulaba de su pronto restablecimiento, después de los primeros días de inquietud. En realidad, pensaba, tal vez no sería necesario casarla apresuradamente... Quizá podría incluso llevársela con él a París, y tratar de acostumbrarla a la vida en la ciudad...

Una tarde, mientras Annick trasteaba por el salón y él leía, intentó corroborar aquellas consideraciones:

—¡Cómo se parece mi hija a su pobre madre! —exclamó de pronto, con un suspiro profundo.

Annick se estremeció: la voz había sonado más grave de lo habitual, como si las palabras hubieran sido dichas en la noche, al oído de quien comparte el lecho, palabras íntimas para no ser escuchadas por nadie más:

—Es igual que ella, señor, que Dios la tenga en su gloria... Pero no es ella.

Hugo sintió una especie de vuelco en el corazón, como cuando la conciencia despierta a quien estaba ya entrando con dulzura en el sueño y le recuerda la falta cometida o el deber incumplido, y ahuyenta el reposo, encendiendo la llama de la inquietud. No respondió nada. Miró hacia el parque: a lo lejos, Mariana, vestida de negro, luchaba contra el viento que empujaba su sombrilla e hinchaba la falda como un globo, y luego caminaba despacio, pausadamente, con aquel andar como de mariposa de madame de Montespin...

La novena noche después del entierro hizo mucho calor. Mariana no podía dormirse. Cada vez que cerraba los ojos, la imagen volvía a desasosegarla: su padre, con una copa de coñac en la mano, se acercaba al sillón donde ella estaba sentada, después de cenar, respirando el aire ligeramente fresco que entraba a través de las ventanas abiertas. Se paraba ante ella, muy cerca, tanto que la seda negra de su vestido rozaba la tela listada de los pantalones de él. Ella no alzaba la vista para mirarle, acobardada. Olía a tabaco y a sándalo, un aroma profundo, como el de los capitanes de los barcos de su niñez, el de los aventureros que volvían de la India, arrebujando en su capa a una mujer hermosa y delicada igual que una estampa, que se dejaba cobijar por aquel hombre que habría de decidir cada uno de sus pasos en la vida... El corazón empezaba a latirle de pronto en las sienes. Las manos del padre se cerraban alrededor de la copa, sin esfuerzo, aquellas manos que parecían hechas para sujetar, para envolver, para transmitir calor y firmeza... Mariana se imaginó abrazándole: si en aquel preciso instante, allí, tan cerca, ella echaba los brazos a su cintura, rodeaba su cintura, entonces podría descansar la cabeza en su pecho, y Hugo de Montespin la estrecharía fuerte, la apretaría fuerte contra su cuerpo para demostrarle que la quería, que no estaba sola en el mundo porque él la quería... Pero no se atrevió. Se quedó inmóvil, oyendo el corazón. Entonces, el padre acercó una de las manos a su cara, y le sujetó con suavidad la barbilla, obligándola a alzar los ojos hacia él: «Deberías irte a dormir» —y su voz sonó tan serena, tan firme, que Mariana supo que haría cualquier cosa que él le dijera, fuera lo que fuese—, y la besó en la frente. Pero no era un

75

beso como los de la madre, aquel beso que ella daba con los labios cerrados y secos, no, era algo húmedo y caliente, algo que traspasaba la piel y llegaba hasta el centro mismo del cuerpo, hasta el vientre, y desde allí se irradiaba, como un carbón encendido que ilumina y da calor hasta el último rincón del hogar... Ahora, en la cama, Mariana recordaba todo aquello, la mano dulce en su barbilla, el beso en la frente, el pecho tan cercano para apoyar en él la cabeza, y también los abrazos, la rendida entrega a aquel cuerpo adorado, el placer mil veces sentido y mil veces anhelado, el dulce conjuro a las sombras... El ascua del vientre volvía a arder... Madame de Montespin susurraba: «No estar sola, no pasar ni una noche más sola, no tener que soportar ni una noche más a la muerte, cruzada de brazos, junto a mi cama...»

Nadie la oyó salir de su habitación, ni abrir suavemente, temblando de ansia, la puerta del cuarto que ocupaba su padre, en el centro mismo de la casa. Él, que aún no dormía, se incorporó en el lecho para confirmar lo que ya imaginaba:

—¿Mariana...? Ven aquí...

## IV

DURANTE MÁS DE DIEZ AÑOS, Felicia había vivido creyendo que todo aquello estaba olvidado...
Y ahora, de pronto, la habitación en penumbra,
la figura encogida en el sillón, el aire pesado del
dolor que parecía engancharse en las cosas, di-
fuminándolas, hasta tamizar las voces que llegaban de la calle —un guirigay ruidoso de sonidos
antiguos, provenzales, entremezclados de italiano
y francés—, ahora, en aquel preciso instante,
como si el tiempo fuera un espejo que permane-
ce tapado y de pronto se descubre, y hiere al
mostrar una vieja imagen que se creía muerta,
Felicia se veía a sí misma; ella, encogida sobre
la cama, en una habitación en penumbra, y el
dolor pesando sobre las cosas, enganchándose en
las cosas, apretando el estómago y los pulmones...
   Por aquel entonces, Felicia de Lacale lucía
una espléndida veintena, una belleza rotunda y
una viudez reciente y liberadora. Su vida había
sido hasta ese momento un ejemplo de orden y
virtud. Se había casado a los diecisiete años, recién salida del convento, con un viejo amigo de
su madre, el barón de Lacale. Y a pesar de las

tentaciones y de la opinión general, que quiso condenarla de antemano a la liviandad, había permanecido fiel a su marido durante los tres años que duró su matrimonio, hasta que él murió. Entonces sí. Entonces abrió su cuerpo y su corazón a todos los peligros, dispuesta a sucumbir, como el prisionero que ha permanecido largo tiempo sin respirar el aire libre se expone a la tempestad, ansioso de ser sacudido por ella. Porque su anterior virtud no se debía a la moral, sino a la elegancia: la hija de una antigua cortesana no podía permitirse, según creía, ciertas actitudes que en otras estaban bien vistas. Un exceso de ligereza por su parte sería imperdonable, y daría al traste con la ejemplar existencia de aquella madre, que con su propio esfuerzo y la ayuda de un cuerpo de diosa había logrado pasar de niña huérfana de hospicio italiano a camarera de taberna, de camarera a cortesana parisina, deseada por escritores de fama, banqueros y hasta algún que otro príncipe de sangre real, y de cortesana, a esposa de un conde encantador y dulce como un corderillo, que a pesar del escándalo no quiso ni plantearse la posibilidad de no volver a ver más a su adorada Lily, quien amenazaba con abandonarle para siempre e irse con su mejor amigo si no se avenía a darle su apellido. La emprendedora mujer había conseguido incluso hacer olvidar sus orígenes, y en los tiempos en los que su hija contrajo matrimonio, mantenía en París un prestigioso salón, en el que se hablaba de literatura, política y finanzas, según el día de la semana, pues ella había sabido sacar gran partido a las muchas confidencias vertidas antaño entre sus brazos... Felicia admiraba profundamente a su madre, y por nada del mundo deseaba perjudicar su buen nombre.

Pero la heroica italiana falleció de pronto. Y unos meses después también murió el marido. Entonces, todo cambió para Felicia: una mujer viuda y sin madre a la que honrar podía permitirse ciertas expansiones. No necesitaba volver a casarse, pues las dos herencias le garantizaban un buen porvenir, y ni siquiera lo deseaba: había sido virtuosa durante su matrimonio, sí, pero no feliz. El marido no le había prestado demasiada atención, ocupado como estaba en politiqueos, y ella, mientras se esforzaba por contener sus instintos, se había aburrido. Porque sus instintos —alimentados por numerosas lecturas de novelitas y folletines, una costumbre adquirida en el convento, por supuesto a escondidas— le decían que el Amor era lo único importante de la vida, aquel Amor que unía los cuerpos y las almas de los hombres y las mujeres por toda la eternidad, que los disolvía a los unos en las otras y a las otras en los unos, que les hacía derribar montañas, y dinamitar mundos... Sí, ella había oído el latido del corazón de las heroínas, las había visto convertirse en ángeles cuando eran amadas, y desesperarse y hasta querer morir si las rechazaban... Aquello era el Dolor, y era la Vida. Y ella estaba dispuesta a aceptar ese dolor con tal de sentir la vida. Tan grande era aún su ingenuidad. Y entonces lo conoció a él, a Hugo de Montespin, que irrumpió en su vida con su aire de soñador aguerrido, de doncel inocente que encerrara ardores en las entrañas, y la miró, posó sus ojos sobre ella —que aún paseaba el luto, embellecida por aquella negrura que parecía clamar a los cuatro vientos la nostalgia de su carne, precedida de una fama de castillo infranqueable que comenzaba a mostrar ciertos síntomas de agrietamiento—, y ella creyó ver el cielo... La resistencia duró tan sólo unos días, dos o tres encuentros seguidos en un par de salones y un palco de ópera, y al cabo, Felicia de Lacale bajó el puente levadizo, abrió las ventanas de la torre y hasta hizo sonar los clarines... La ocupación fue inmediata y absoluta. Desde el primer encuentro íntimo, Felicia se entregó totalmente a aquel hombre, cuyo solo recuerdo la transportaba al paraíso. Dejó de salir, de recibir y hasta de comer, a pesar de los esfuerzos de sus amigas, empeñadas en aconsejarle que no se confiara, que mejor haría retirando el puente levadizo y dejando abierto, tan sólo, un ventanuco, y aun así, manteniéndose en guardia para cerrarlo en cuanto detectara el menor síntoma de desfallecimiento en el invasor... Pero Felicia no quiso creerlas: aquello era el Amor. Ellas hablaban de otras cosas, de galanterías, aventuras y placeres... Pero aquello era el Amor. Cierto que él nunca le había dicho ninguna de esas frases que los amantes pronuncian en las novelas, pero era un hombre tímido —a pesar de las apariencias— y bien educado. Con toda probabilidad, no quería comprometerla, o temía sus burlas... Sin embargo, ella le demostraría día tras día que ansiaba y merecía el compromiso. Porque ya no podía imaginar la vida sin él, no podía ni sospechar cómo transcurriría su existencia sin aquellas largas horas dedicadas a contemplarse en el espejo, admirando una y otra vez lo que él admiraba, recordando sus caricias y soñando con ellas, esperando el momento en que él regresaría, en que estaría allí de nuevo para demostrarle entre abrazos perfectos y risas simultáneas y gemidos conjuntos que estaban hechos el uno para el otro, como si las manos de él fuesen el molde exacto donde encajaban las de ella, y a la curva de sus caderas se acoplase justamente el volumen firme del vientre masculino, y las lenguas se unieran con precisión inaudita, igual que el riachuelo se une a otro riachuelo para formar un río poderoso, y las bocas entrelazadas fuesen una perfecta esfera del mundo... Felicia —¡ay de las mujeres enamoradas como adolescentes!— confundía la pasión con el amor... Pero la pasión, para Hugo de Montespin, era una llama pronto apagada, un fuego rápidamente consumido que apenas dejaba trazas, ni rescoldos... Y así, un día, el abrazo fue menos estrecho, y al otro las risas no salieron de su boca, y al tercero faltaron los gemidos. Después, ya no volvió. Felicia no acertaba a comprender lo que ocurría. Aquella tarde —la primera de la ausencia— imaginó una enfermedad, un accidente imprevisto, la muerte incluso, y ahogándose de temor, envió un criado a casa de los Montespin, con una misiva dolorosa: «*¿Qué te ocurre, amor mío? Tiemblo por ti. Dime que vendrás. Tu esclava.*» El hombre regresó con las manos vacías: monsieur de Montespin no estaba allí. Había salido después del almuerzo, como cada día. No le esperaban antes del amanecer. Aquello confirmó sus sospechas: si no había llegado a su casa, era porque algo terrible debía de haberle ocurrido. Tal vez le habían asesinado para robarle, y su cadáver estaría ahora flotando en el Sena, bajo la lluvia, y nunca le encontrarían... Felicia, enloquecida de angustia, salió en busca de ayuda. Era lunes, día de ópera, y allí se dirigió entre espasmos, y entre espasmos subió las escaleras, despeinada, mal vestida, y entró en el palco de su amiga la princesa Morisel, justo en medio del tercer acto de una *Traviata* dolorosa y arrebatada que hacía furor. Apenas podía hablar. La princesa, asustada, la arrastró al antepalco. Allí, entre sollozos, Felicia consiguió explicarle sus temores. Adrienne de Morisel suspiró:

—Regresa a casa y tranquilízate... Te aseguro que a Hugo no le ha ocurrido nada malo. Mañana iré a verte y te lo contaré todo.

—¡No, mañana no! ¡Dime dónde está...! ¡Si lo sabes, dímelo ahora...!

Felicia casi gritaba, fuera de sí, empezando a sospechar lo que no quería sospechar, aquello que era tal vez peor que la muerte... En el palco se oían cuchicheos, y alguien se reía con poco disimulo. La princesa de Morisel se resignó a lo que tenía que suceder:

—Escúchame, Felicia. ¡Y no llores más, por Dios! Este escándalo no se va a olvidar nunca... —La pobre enamorada sepultó la cabeza entre las manos, intentando tapar los sollozos—. Deberías habernos hecho caso a quienes te queremos bien y sabemos de estas cosas... Hugo de Montespin te ha dejado por otra. Eso, la primera vez, duele. Pero no mata, te lo aseguro. Mírame a mí: he logrado sobrevivir a tantos abandonos, que a menudo ni siquiera sé si alguna vez he tenido compañía... Los hombres son así, Felicia. Ellos nos convierten en reinas, pero nuestro reinado es breve. Intenso y breve, como la vida de las flores. No creas, pues, que tú vales menos que ninguna otra. De esa misma por la que hoy te ha abandonado, se olvidará también en algunos días. Y tú, entretanto, abrirás de nuevo tu corola y expandirás tu perfume para otro... Cuando eso ocurra —y te aseguro que ocurrirá, aunque ahora no puedas creerlo—, recuerda lo que estás sufriendo hoy: no permitas nunca más que te arrasen el corazón.

La voz de la soprano, transida de dolor, musitaba:

> *Ma verrà giorno in che il saprai...*
> *Com'io t'amassi confesserai...*
> *Dio dai rimorsi ti salvi allora,*
> *Io spenta ancora —pur t'amerò.*

Los ojos de las damas se llenaban de lágrimas.

Felicia tardó mucho en recuperarse de aquel golpe. Le parecía como si le hubiesen arrancado la mitad de su cuerpo, y andaba por la casa llorosa, desastrada, retorciéndose las manos vacías, abrazándose a sí misma para mitigar la ausencia... Y además estaba la vergüenza —todo París sabía lo ocurrido—, y el miedo a encontrarse con Hugo si salía de casa. Así que no salió durante semanas, ni siquiera en Biarritz, donde pasó el verano como cada año. No volvió a aparecer en público hasta después de Navidad, ya más tranquila, y aun así, la primera vez que coincidió con

Hugo en el salón de la princesa de Morisel, al verlo acercarse a ella, sonriente, feliz del reencuentro, al sentir aquella mano tan añorada coger suavemente la suya, al oír la misma voz que cada noche escuchaba en sus sueños, le entró tal temblor que tuvieron que llevarla a casa. La súbita gripe fingida no logró convencer a nadie, y el nombre de Felicia de Lacale volvió a ser la comidilla de los bulevares.

Pero pasó el tiempo, y el cuerpo se acostumbró a la cruel mutilación, y el corazón aprendió de nuevo a latir solo. El ridículo de Felicia fue relevado por otros ridículos, y hasta ella misma olvidó lo ocurrido. Incluso se le quedó como un poso de ternura hacia aquel hombre que tanto la había hecho sufrir, pero que le había abierto las puertas del paraíso —así se lo decía a sí misma—, y entre ellos acabó naciendo con el paso de los años una profunda amistad. Sin embargo, algo se le debió de quedar herido por dentro, porque nunca más volvió a enamorarse. Y cuando notó que la carne le pedía de nuevo encandilarse con otra carne —y para entonces ya había pasado mucho tiempo desde el dolor—, ni siquiera tuvo arrojo para probar suerte en aventuras con cualquiera de aquellos caballeros conocidos y que tan dispuestos se habían mostrado a consolarla... Prefirió pagar: en algunas tabernas de los alrededores de París no era difícil encontrar chicos guapos dispuestos a hacer feliz a una dama a cambio de algo de dinero. Y ella se acostumbró a aquel comodísimo comercio que la ponía a salvo del peligro y le prestaba en cambio durante algún tiempo un simulacro de ternura, de compañía. En cuanto sospechaba que su interés por alguno de aquellos muchachos crecía —por ejemplo, si a la mañana siguiente aún percibía con gusto el olor de su cuerpo entre las sábanas, o si recordaba su nombre más de dos o tres días—, dejaba inmediatamente de verlo. A las amigas íntimas que, al tanto del secreto, le reprochaban su actitud —aunque en el fondo la admirasen por aquella libertad tan duramente adquirida— siempre les decía entre carcajadas lo mismo: «No hago más que comportarme como ellos, como los hombres: disfruto sin pagar nada a cambio. Nada, salvo dinero. Pero todo el dinero del mundo no vale lo que una sola lágrima de una mujer abandonada...»

Y Felicia no había vuelto a llorar. Ni siquiera, hasta aquella mañana, había vuelto a enfrentarse a esa pena honda y paralizadora de la mujer traicionada, a la que el mundo se le derrumba de pronto encima, aplastándola con su peso, después de haberlo gozado con la ligereza de un ave que lo sobrevuela veloz, mirándolo desde las alturas. Pero aquella mañana, al levantarse, un criado del hotel le entregó una nota:

*Vete en cuanto puedas a la habitación de Mariana. Te necesita. Gracias por todo, amiga mía.*
HUGO DE MONTESPIN

Y fue. Llamó a la puerta, pero no hubo respuesta. Entonces la abrió despacio, inquieta. Mariana estaba inmóvil, encogida en un sillón al fondo del cuarto. Algunos rayos débiles de sol entraban en la habitación a pesar de las cortinas, corridas como en plena noche, y llegaban desde la calle los ruidos de la mañana. No se levantó para saludarla, ni habló. Pero cuando Felicia se acercó a ella y preguntó qué ocurría, le tendió aquel papel arrugado:

*Querida Mariana:*

*No puedo despedirme de ti. Llevo varios días imaginando cómo hacerlo. Te veo ante mí, sentada en el silloncito desde donde tanto te gusta mirar el puerto y los barcos, o a mi lado, caminando entre los pinos, con tu vestido de luto, el de los encajes altos que se te enroscan en el cuello como la hiedra alrededor de un árbol, y que a mí me gustaba mordisquear cuando te besaba... Te veo ante mí, o a mi lado, silenciosa, escuchando cómo te digo que me voy, cualquier mentira para no confesarte que ahora debo irme porque siento que el corazón me late despacio... Pero no sé mentir. Yo, que he abandonado tantos lechos tibios como nidos, tantos brazos dulces como la hierba fresca en el verano, junto al río, no sé mentir. Y no deseo mentirte a ti, que llevas en tu sangre la mía.*

*Me voy, Mariana. Es la hora. Debo dejarte sola, aunque tú no comprendas. Ya no puedo quedarme a tu lado, aunque llegues a odiarme y quieras olvidar que aún vivo y que soy tu padre. ¡Qué extraña palabra...! Tu padre... Yo te di la vida, sí, pero no he sabido vigilarla, cuidar de ti como se cuida del arbolito joven, enderezándolo, nutriendo sus raíces, extasiándose ante cada brote nuevo... No, yo fui el ausente, aquel que siembra y luego olvida, y a veces simplemente se sorpren-*

*de desde la distancia, tras el muro, y después, al estallar en las ramas los frutos que anuncian el éxito de la vigilia ajena, se abalanza a disfrutarlos, apropiándose voraz de lo que ya no es suyo, para luego, una vez consumidos, abandonar el huerto sin volver la vista atrás...*

*Ya ves que no te engaño, que no me siento orgulloso de mi hazaña. Así soy yo, Mariana, tu padre, si es que aún me permites utilizar ese nombre que quizá no merezco. Tú me odiarás, me maldecirás, me expulsarás tal vez de tu corazón. Yo, sin embargo, te recordaré. Y si algún día nos encontramos de nuevo, esperaré el gesto de tus manos llamándome...*

*Ahora, Mariana, no llores. Confía en Felicia. Ella te protegerá. Será para ti como la madre y el padre que has perdido.*

*Te deseo lo mejor. Adiós*

HUGO DE MONTESPIN

Felicia sintió que se ahogaba. Había visto muchas cosas en su existencia, muchas. Estaba acostumbrada a la liviandad, y al vicio, incluso al retruécano del propio sexo que formaban parte de su mundo, de aquella sociedad de gentes tal vez aburridas, en busca siempre de emociones más intensas, de rarezas más insospechadas, de riesgos aún mayores, todo aquel mundo que había hecho del placer una profesión y de la falta de escrúpulos una moral respetada. Pero nunca hubiera podido imaginar semejante depravación, crueldad más grande... En los últimos meses, cuando se encontró con Hugo de Montespin y su hija, primero en Biarritz y después en Niza, había tenido sospechas. Pero quiso borrarlas de su cabeza: no era posible. Y, sin embargo, ¡ella conocía tan bien esa manera de mirar de Hugo! ¡Había visto tantas veces aquel fuego en sus ojos, y el gesto, el ligerísimo alzarse de las cejas, y la breve mueca lateral de la boca, marcando así el territorio, el lugar donde él dominaba y establecía su imperio! Sobre ella, sí, también sobre ella, y sobre cada una de las mujeres a las que Hugo había deseado... Sin embargo, prefirió pensar que el terreno de los sentimientos era tan resbaladizo, tan pantanoso, que un hombre podía mirar a su hija con los ojos que creía guardar para la amante, porque tal vez en algún punto del corazón los cariños se entremezclaban. Y Mariana, esa pobre niña que había vivido siempre alejada del padre, se entregaba ahora al dominio de aquel hombre que la cogía del brazo, descuidado, igual que se sujeta algo propio, algo tan cotidiano y propio que ya ha perdido todo valor, y se dejaba arrastrar por él, siguiéndole por los salones de los hoteles, y las terrazas de las villas, y los paseos de la playa, igual que un animalito desprotegido seguiría a quien le propusiera techo y alimento, y una mano que acaricia ajena, pero acaricia, haciendo sentir el pulso de la sangre en las venas, el calor que la inunda mientras el espíritu, distraído, piensa en otras caricias... Ella nunca había tenido padre —ni siquiera había sabido quién era su padre—, y tal vez, si alguien hubiera aparecido un día diciendo «mía es tu simiente», se habría rendido de la misma manera a él. Y quizá él, quién sabe, habría abusado de la misma manera de su dominio, y puede —pensaba ahora— que él también la hubiese convertido impíamente en mujer entre aquellos brazos que, mientras era niña, debían haberla acunado, puede que hubiese puesto en su vientre la misma semilla de la que ella había nacido, para abandonarla luego así, dejarla sola en Niza, sola en el mundo, aquella pobre niña recién abierta a la vida, atónita aún del poder asfixiante de la vida...

Felicia tenía ahora ganas de llorar de lástima. Desde el principio, desde que se los encontró la primera vez, una tarde de julio, en el hotel Du Palais de Biarritz, sintió una profunda simpatía por aquella muchacha vestida de negro, como si gritase de tristeza en medio del calor y la dulzura del verano. Y le entró un ansia de protegerla, una ternura que se acrecentó con los primeros paseos a solas. Mariana hablaba muy poco, pero cuando hablaba, era como una fuente de la que manasen algunos hilillos de agua y que escondiera, sin embargo, una profunda corriente subterránea. Felicia quería saber cosas de su existencia, preguntaba cómo habían podido vivir madame de Montespin y ella tan aisladas, tan lejos de todo, sin salir nunca de Belbec. Pero las respuestas de Mariana la dejaban llena de dudas:

—A mi madre no le gustaba el mundo. Y a mí tampoco. Es grande y oscuro...

Y se callaba, reacia a seguir contando. Porque, ¿cómo podía ella explicar que lejos de Belbec el aire le parecía demasiado inmenso, que se ahogaba en él, igual que la planta arrancada del pedazo exacto de tierra que le da la vida se agosta y muere, libres sus raíces, asfixiadas en la enormidad de un mundo que es vacío infinito, un espacio sin límites que precipita y oprime...? Sólo entre los brazos del padre se le iba la angustia. Allí, anudada junto a él, cobijada en el calor, oyendo los latidos tranquilos del corazón ajeno y tan próximo, se sentía niña, una niña pequeña que se consuela del mundo en el regazo del Todopoderoso, y a la vez mujer que tiembla de deseo en presencia del amado, madame de Montespin rendida a su esposo, perdida en aquel laberinto de espasmos al que Mariana se entregaba con pericia, como si recordase lo que nunca había vivido... Pero luego, antes del amanecer, él se iba, y ella fingía que dormía y escuchaba atenta, violento ya el corazón, los sonidos familiares —el roce de las telas, el ligero taconeo de los zapatos— y entonces, apenas cerrada la puerta, volvían la tristeza y el miedo, y la muerte se plantaba de nuevo allí, en la esquina de la habitación, sonriente... Mariana se arrebujaba temblando bajo las sábanas, hasta que a la primera luz del amanecer, agotada, se dormía.

Durante el día, monsieur de Montespin solía dejarla sola muchas horas, las que él dedicaba a otros encuentros, a paseos, fiestas y noches de casinos adonde casi nunca llevaba a su hija. Entonces Mariana se quedaba sentada en su habitación, recordando el día que salieron de Belbec, camino de París, para continuar luego viaje hacia la costa del Sur. El cielo estaba negro, muy negro, pero por debajo de las nubes brillaba el sol. Era raro: la tierra llena de luz, y aquel cielo tan negro... Al pasar por delante de la iglesia, la sombra de la torre cayó sobre ellos. Mariana había vivido siempre a los pies de esa torre, había crecido oyendo su campana, sabiendo que existía a pesar de la niebla, viéndola resistir las tempestades y los vientos, un invierno tras otro, empapada por las lluvias, aterida del hielo, y reviviendo después, con la primavera, llenándose de siemprevivas y celidonias las grietas entre las piedras... A veces pensaba que la torre y ella eran una misma cosa, como si compartiesen el mismo corazón y estuvieran enraizadas en la misma tierra. Y entonces, al pasar bajo ella, aquella sombra se le pegó a la piel, se encajó a su piel y la traspasó, y se le quedó por dentro, una cosa oscura y familiar, que pesaba en el corazón y daba tristeza, mucha tristeza... Se estaba yendo lejos de casa, lejos de la tumba de su madre, lejos de aquella torre de la iglesia, y Mariana recordaba las lágrimas inconsolables de Annick, que se abrazaba a ella, deshecha, mientras la despedía, y se volvía para ver por última vez el tejado gris y la fachada ocre, las ventanas entreabiertas de su habitación, por donde entraría la niebla de nuevo, tal vez mañana mismo, las copas de los árboles que le habían servido de escondite en los juegos con Cristina y Blanca, y de casa de hadas, y de cuna de niños soñados, y sentía cómo aquella cosa negra le andaba por dentro, y surgía el miedo, el mismo miedo del día que viajó a Fécamp, cuando era niña, y comenzó a pensar que nunca más regresaría a Belbec... Pero de pronto el padre acarició su mano, y le sonrió. Y en aquel contacto ligero, en aquel leve gesto tranquilizador, Mariana perdió de nuevo la consciencia, y al igual que en los días anteriores, se creyó otra vez mujer, esposa, su propia madre entregada a la voluntad de aquel hombre de hierro al que necesitaba, cuya presencia alejaba el mal... Pero ahora, sola, tan lejos, anhelaba la niebla de Belbec, el viento de Belbec que sacudía los árboles y los hacía rugir, las casuchas sucias y las calles embarradas, y cada rincón de la casa donde nunca había sentido miedo. Recordaba a Annick, a la que escribía todas las semanas —ella le pediría al cura que le leyese las cartas, y lloraría al conocer su nostalgia—, y añoraba con toda el alma a su madre, que se había muerto dejándole aquel vacío infinito, aquella inagotable soledad... Entonces, Mariana se sentaba junto a la ventana de su habitación y contemplaba el mar, el mar oscuro, casi negro de Biarritz, el mar azul de Niza, tan distinto de su verde mar del Norte. Miraba los barcos que hinchaban las velas alejándose hacia el horizonte, y soñaba que viajaba en ellos, que navegaba hacia casa, lejos del calor, y los marineros cantaban las dulces canciones de su tierra, en aquella lengua profunda y húmeda... Una gaviota blanca volaba junto al barco, día y noche, y cuando llegaban las brumas, ella indicaba el camino... Luego, un amanecer, aparecían a lo lejos los acantilados blancos de la playa de los cantos, y el corazón latía muy fuerte... En tierra, una mujer agitaba las manos, y abría los brazos, y Mariana caminaba sobre el agua hacia ella, corría sobre el agua para abrazarse a su madre, para fundirse en ella y ser de nuevo las dos una... Pero de pronto llegaba la niebla, y la figura adorada se desvanecía, y ella se revolvía entonces entre las nubes, perdida, y trataba de gritar aquel nombre en el que cabía un mundo entero, madre...

Pero su voz no se oía, su garganta estaba muda, y la niebla la rodeaba, dejándola sola, sola y aterida de frío, sola y desesperada...

Y ahora, ahora que él se había ido, ahora que ya no tenía su brazo para apoyarse en él y caminar hasta el final del pasillo, y salir a las calles, y sentarse a comer, y pasar las noches eternas, en la oscuridad, ahora tendría que quedarse por siempre allí, en aquella habitación, recordando, temblando de miedo. Se quedaría sola allí con la muerte hasta que se volviera loca, y el corazón le estallara, aquellos latidos cada vez más rápidos, más fuertes, hasta que todo su cuerpo fuera un único latido, y la ola que le salía del estómago la ahogase definitivamente... Ahora se iba a morir. Sola en aquella habitación, igual que había muerto su madre.

## V

A MARIANA NO LE GUSTABA NADA aquel vestido. Había tenido que apretarse tanto el corsé para poder componer la figura adecuada, y llevaba encima tantas capas de encajes y el sombrero inmenso, lleno de flores y plumas, pesado igual que una piedra, que ahora se sentía inmovilizada y sudorosa, y la cabeza le dolía como si se la estuviesen apretando con un hierro, una diadema de hierro alrededor de sus huesos... Pero había que sonreír, sonreír y simular que no pasaba nada, y estirar la mano levemente, sin forzarla, para dejar que se la besasen los señores, a la vez que sonreía, y abanicarse con disimulo, sin que se le notase el sofoco. Su futura suegra lo había decidido así, y aunque la duquesa de Camaran solía decidir pocas cosas sobre los demás —pues era bien sabido que los demás le importaban muy poco—, cuando lo hacía, todo el mundo obedecía sus órdenes.

Faltaban algunas semanas para las carreras de Longchamp, y la sociedad de París se preparaba ya al acontecimiento, que ponía fin a la temporada y abría el largo período de vacaciones.

95

Una tarde, mientras tomaban el té en las Acacias, Lucie de Camaran interrumpió su conversación sobre pintura, la miró con desprecio de arriba abajo, y dijo, con aquel tono de voz seco y descarnado como una espina de pescado:

—Deberías pasarte por el taller de madame Paquin. Tal vez ella consiga hacerte un bonito vestido para las carreras.

Y siguió hablando de los últimos cuadros del Salón.

Al día siguiente, Mariana y Felicia visitaban a primera hora de la tarde a la modista. «Le encargaré también uno para mí», había dicho Felicia.

Y ahora las dos lucían aquellas ropas riquísimas e incómodas, como vitrinas que muestran sus tesoros en medio de otras muchas vitrinas, decenas de mujeres enjoyadas, enteladas, enguantadas, encorsetadas y floreadas, mujeres en el escaparate, gangas y piezas únicas, mujeres pavoneándose, vigilándose, exhibiéndose, animándose, envidiándose, mujeres ricas, hermosas o feas, encantadoras o detestables, elegantísimas, odiándose las unas a las otras y sonriéndose las unas a las otras, compartiendo recuerdos de amantes y deseos inconfesables y penas nunca confesadas, anhelando miradas y gestos —el ojo atento, el giro del bastón, el leve mesarse de unos bigotes— que demostraban que aún podían ser deseadas y recordadas y hasta añoradas por aquellos hombres que paseaban, altivos los rostros, sobrios los trajes negros, fruncidos los ceños de mentes diligentes ocupadas en negocios, dineros y leyes, fofos los cuerpos siempre sentados en altos sillones desde los que se dirigía el mundo, ablandados en noches de alcohol y manoseos de mujerzuelas, pero engallándose ante todas aquellas curvas femeninas, aquellos encajes y ojos inocentes, y manos sabias y pechos de diosas-madres que los elevaban a los altares del poder y la experiencia... Desde la cima, miraban con desprecio a los yóqueys diminutos que apretaban sus muslos sobre los caballos, compitiendo por correr más rápido que el viento, por besar las manos de las damas más excelsas que cerrarían los ojos bajo los suyos, como alas de mariposa, como leves celosías que escondiesen paraísos, y ellos acariciarían la gloria y el lujo, y soñarían con sábanas de seda bajo cuerpos de terciopelo que a veces se encarnaban, en largas noches de placer con las diosas más osadas, quienes luego, al oído de las amigas íntimas, se mofarían burlonas de las pobres costillas mal nutridas del héroe de aquella tarde, o del traje desafortunado, o de su torpeza de pueblerino...

—¿Dónde está Marcel? —Mariana recorría con la vista el hipódromo, inquieta.

La voz de la espina de pescado respondió con rapidez:

—¿No puedes vivir ni un momento sin él?

Felicia intentó reírse:

—En seguida vendrá.

La duquesa de Camaran decidió reservar su desprecio para gentes más dignas de él, y se alejó de allí, como una abeja reina que recorriera su corte de obreras.

Felicia sentía a menudo ganas de escupir a Lucie de Camaran, de deshacer su magnífico pei-

nado a la griega, de darle patadas en las espini-
llas y arrancarle sus carísimos trajes de seda...
En esos inconfesables instintos, en ese deseo de
ensuciar, y llenar de golpes y hasta hacerle sangre a aquella mujer insoportable, notaba Felicia
sus orígenes oscuros, la huella de antepasados in-
domables, de abuelas de la calle que tal vez se
pelearían con uñas y dientes por un pedazo de
pan o un rincón seco donde dormir. Pero la baronesa viuda de Lacale estaba muy bien educa-
da, y era capaz de disimular su ansia de violen-
cia con la más esplendorosa de las sonrisas, un
arte, el de sonreír, en el que era realmente dies-
tra —la famosa sonrisa de Felicia de Lacale aparecía citada en todas las crónicas de la ilustre sociedad parisina— y en el que se había ejercitado
durante largas horas de ensayos delante de espejos iluminados con todas las posibilidades de la
luz: «Así se arrugan mucho los ojos... De esta
manera es demasiado descarada... Ahora parece
falsa...» Al fin había encontrado la medida justa
de expresión: majestuosa pero no hierática, dulce
sin servilismo, excitante aunque no vulgar... Felicia paseaba su sonrisa por el mundo como otros
pasean un perro de lujo o un criado negro, algo
que les pertenece pero que han adquirido con esfuerzo y exigencia, y por ello cobra más valor.
Alguna vez había intentado transmitirle su sabi-
duría a Mariana: «No importa lo que te ocurra
—le decía—. Tú colocas tu sonrisa y todos pensa-
rán que te diviertes. Y no hay nada más importante, en este mundo nuestro, que mostrarse diverti-
do. En cuanto sospechen que tienes problemas, o
estás triste, o sufres por algo, se abalanzarán

sobre ti como fieras y sólo dejarán despojos...»
Pero aquellos consejos lo único que conseguían
era asustar a Mariana, que se esforzaba sin embargo en imitarla, haciendo una torpe mueca mor-
tecina... A veces, cuando ella no se daba cuenta,
Felicia la estudiaba atentamente. Mirado así, despacio, mientras estaba tranquilo, el rostro de Mariana era hermoso. Tan parecido al del padre,
pero dulcificado por aquel halo de nostalgia,
aquella llamada de los abismos que le ponía oscuras ojeras bajo la mirada, y una transparencia
extraña, casi temible en la piel. Otra mujer más
serena hubiera sabido sacar gran partido a esa
belleza como de ángel caído, iluminado por un
sol de amanecer, que añora el paraíso del que ha
sido expulsado... Sin embargo, en cuanto se
movía, en cuanto se colocaba entre la gente, el
rostro enrojecía, se crispaba, alterado, como si
unos hilos invisibles tirasen desde dentro, abrién-
dole en exceso los ojos, asustados, poniéndole un
rictus de tensión en la boca, que se curvaba in-
controlada, y el hermoso ángel se deformaba, semejante a una figura de cera que se derritiese al
calor.

Era cierto que Mariana tenía miedo de la
gente. Felicia, quien sin embargo la quería como
a una hija, se exasperaba a veces con ella. Al
principio, cuando se quedaron solas en Niza, intentó distraerla con las diversiones habituales de
cuantos pasaban aquellas semanas del comienzo
del otoño en esa costa del Sur, ansiosos de respirar luz antes de volver al frío y húmedo París
invernal. Pero en cuanto salían a la calle, de
paseo, Mariana se cogía a ella, sujetaba fuerte-

mente su brazo, como si tuviera miedo a perderse, y apenas se cruzaban con alguien, si se detenían por unos momentos a charlar, la mano se endurecía, apretándola, y a veces hasta tiraba ligeramente de ella, igual que los niños ansiosos de juegos intentan arrastrar a quien les obliga a pararse en el camino. Un día, Felicia la reprendió con enfado:

—¿Sabes que me has hecho daño...? Deberías ir curándote de esa manía de magullarme el brazo. ¡Nadie te va a comer, Mariana! Son personas normales, educadas y normales.

La muchacha no respondió, pero los ojos se le llenaron de lágrimas. Felicia se arrepintió de su dureza, y fue ella entonces quien la sujetó por la cintura mientras seguían caminando junto a la playa.

Aquella misma noche cenaron las dos solas en el restaurante del hotel. Hasta entonces, Felicia no había querido contarle lo que sabía sobre la huida del padre: Hugo de Montespin se había ido a Italia con una actriz que bailaba casi desnuda, exhibiendo un cuerpo perfecto, como si alguien lo hubiera tallado en mármol, y había hecho entre sábanas una auténtica fortuna que siempre llevaba encima: «De los bonos no me fío: los papeles vuelan. Y las casas pueden quemarse. Sólo quedan las joyas. Ésas sí: te las pones, y si quieren quitártelas, tienen que matarte antes», solía decir con su extraño acento de Europa oriental, echando chispas desde la cabeza hasta los pies de diamantes y oros y esmeraldas... Se contaba que a Hugo de Montespin lo había vuelto loco una madrugada, durante una fiesta, haciendo que jugara con las esclavas que llevaba en los tobillos. Felicia había tratado de ocultarle la verdad a Mariana, para no humillarla, pero ella se enteró aquella noche por las conversaciones de la mesa vecina, donde algunos hombres que no las conocían comentaban entre risas la nueva hazaña de monsieur de Montespin. No dijo nada. Fingió que seguía comiendo, hasta que Felicia, apiadada, decidió que era hora de retirarse. Esa noche Mariana tuvo una terrible pesadilla, un sueño en el que ella moría ahogada por un collar que las manos del padre sujetaban sobre su cuello, que antes había estado acariciando palmo a palmo...

Al día siguiente Felicia decidió que había llegado la hora de hablar de su porvenir:

—¿Has pensado qué quieres hacer?

—¿Qué quiero hacer...?

—Me refiero a tu vida, Mariana. No podemos seguir aquí eternamente. Dentro de poco todo el mundo volverá a París.

Mariana no respondió. Había agachado la cabeza, y se preocupaba por intentar borrar una ligera mancha blancuzca sobre su falda negra. Felicia sabía que aquella conversación iba a ser difícil:

—¿Quieres irte a Belbec? Yo te acompañaré, y me quedaré contigo hasta que te sientas tranquila.

Belbec... Y el nombre resonaba en su cabeza... Belbec vacío, Belbec donde ya no estaba su madre, apenas una estela en los pasillos del ligero paso de la mariposa, la huella en el sillón del cuerpo que bordaba, tristes los ojos, la marca en los muebles y los espejos de los dedos que siempre acariciaban, y el olor, y el ruido de la losa deslizándose sobre la piedra honda del sepulcro... Mariana inclinó aún más la cabeza, y frotó con más fuerza la mancha.

—Quizá podrías irte a vivir con una de tus tías. Porque supongo que no querrás quedarte en casa de tu padre...

Ahora Mariana la miró. La miró de frente, igual que miraba a su madre cuando era niña y ansiaba salir a jugar al parque.

—¿No te gustan tus tías?

—Casi no las conozco.

Felicia bebió un sorbo de té, apenas unos instantes para animarse a decir lo que las dos esperaban:

—¿Quieres quedarte en mi casa?

La sonrisa de Mariana fue como un arcoiris después de una tarde opaca y húmeda. Sí, quería quedarse con Felicia, la dulce Felicia, Felicia que se reía, y sus risas sonaban igual que la campana de la iglesia en días de fiesta, y hablaba de cosas bonitas, ligeras y bonitas, Felicia, que tenía el sol en los ojos, y caminaba haciendo sonar los tacones sobre el suelo, firme, tranquila, sabiendo siempre adónde se dirigían sus pasos, que se sentaba como una reina, y nunca agachaba la mirada, Felicia, que sabía entender aunque ella no hablase, y tenía aquellas manos grandes que a veces acariciaban, cálidas como la piel de un cachorro...

París era, en aquel otoño ya mediado de comienzos de siglo, como una mixtura de ciudades diversas. Estaba el París embarrado, el París de las chabolas, a cuyas puertas se sentaban, sobre el suelo húmedo, vendedoras de quincallas y miserias, mujeres desdentadas y sucias que morirían jóvenes, después de haber traído al mundo a una prole de niñas y niños enfermizos, que moqueaban sobre pústulas frecuentadas por moscas y piojos y chinches... Morirían jóvenes, comidas por la tuberculosis o por el cáncer o por los palos del hombre que se emborrachaba para olvidar que su mujer moriría joven, y que sus hijos rezumaban de pústulas, y que bajo el techo que apenas alcanzaba a proteger de la lluvia constante hacía frío, y olía a orines y a excrementos, y a hambre... Morirían, tal vez sin haber recibido nunca una caricia, sin haber sido tocadas nunca por manos que no golpeasen, arañasen, exigiesen, obligasen... Morirían sin saber que había mujeres perfumadas, mujeres delicadas como la nieve recién caída, mujeres preocupadas por la suavidad de las sedas sobre sus pieles suaves, por el rizo exacto de los cabellos que no debían esconder el de las pestañas rizadas, por el matiz del verde que resplandecía en el fondo diminuto de sus esmeraldas, realzando el color de los ojos, mujeres que eran acariciadas con ardor, con deseo, con nostalgia, con indiferencia, mujeres que vivían en otro París, el de las noches largas como suspiros, entre bailes y músicas y terciopelos, donde los cuerpos eran bienes que se compraban y vendían, y en el de los palacios de los bulevares, lujosos como castillos de hadas, relumbrantes de espejos, marfiles, porcelanas, tapices, cristales y maderas de Oriente. Mujeres que nunca querrían saber que existía un París embarrado y miserable...

Las dos amigas se instalaron en el palacete de la calle de Berri. Felicia se cercioró de que Mariana no tendría problemas de subsistencia: antes de desaparecer, desde Niza, monsieur de Montespin había escrito a sus oficinas centrales dando instrucciones para que nada le faltase a su hija. Allí, por lo demás, hacía varias semanas que no tenían noticias suyas. Fue entonces, durante esa visita al despacho junto al Sena, cuando Felicia empezó a pensar que habría que buscarle un marido a Mariana. Ella aborrecía personalmente el matrimonio, pero al fin y al cabo ya estaba viuda. Y una mujer soltera, había que aceptarlo así, no era nadie. Hasta una determinada edad —los veintidós o los veintitrés, si disponían de fortuna o de belleza— las jóvenes eran como ramilletes de flores silvestres, como esas bandadas de pájaros alegres, que son deseados con ansia porque anuncian la llegada de la primavera. Cuando entraban en las fiestas o en los teatros, todo el mundo se volvía a mirarlas con cierta malicia bondadosa, escrutando los cambios de su aspecto, la transformación de sus modales que, poco a poco, se liberaban de la rigidez de los conventos y las institutrices, y adquirían un vago aire de mundanidad, conservando, sin embargo, la inocencia. Eran sabias en el arte de coquetear sin parecer sabias, de despertar deseos sin hacer ostentación, y de esconder sus pasiones o apetencias, que musitaban en secreto a su propia imagen reflejada en el espejo —mientras valoraban sus méritos—, o a las almohadas de sus camas de niñas, o a la amiga más íntima que devolvía a su vez la confidencia, entremezclando realidades, lecturas y sueños... Después, un día, alguno de los solteros repeinados y presumidos que se paseaba entre ellas como los jinetes recorren las cuadras, sopesando las yeguas, dejándose querer hasta elegir una, retenía durante demasiado tiempo su mano al besársela en el teatro, y luego la sacaba a bailar varias veces seguidas en una fiesta, y más adelante la paseaba, ofreciéndole tiernamente su brazo, por las avenidas del Bois, bajo la mirada atenta y calculadora de la madre, que entretanto ya se había ocupado de indagar con discreción en el estado de finanzas, salud y moralidad del pretendiente. Y una tarde, al fin, el gomoso confesaba su deseo y pedía matrimonio, y la muchacha enrojecía de placer, sintiendo aquellas palabras clavarse en su corazón, en el que no cabía mayor dicha... Después llegaba la boda, y con ella la libertad. Eso era lo más importante. El amor no cabía entre esposos. A lo más que podía aspirar una pareja era a llevarse bien, a no discutir en exceso y, sobre todo, a respetar cada uno la vida privada del otro, sin curiosear en sus miradas, ni pedir explicaciones de ausencias demasiado largas, o andar indagando en los perfumes de las cartas y los recuerdos amontonados en los cajones... A cambio, apenas casadas, se abrían para las mujeres todas las puertas del placer y la diversión, cerradas antes o, cuando menos, vigiladas por feroces cancerberos que impedían traspasar el umbral. Pero una vez que el apellido cambiaba, y mademoiselle de M. se convertía en madame de T., el mundo se llenaba de colores, y todo estaba permitido, siempre y cuando, por supuesto, se guardase la suficiente discreción, que no debía ser ni poca —de modo y manera que lo más secreto fuese gritado a los cuatro vientos— ni mucha —de manera y modo que nadie se enterase—. Pero si después de los veinticinco años una muchacha permanecía soltera, las miradas antes benevolentes empezaban a convertirse en dardos venenosos. Aquella que unos meses atrás era tenida por hermosa pasaba de la noche a la mañana, como si un hechizo la hubiese desfigurado, a la triste condición de fea: sus ojos, antes dulces y profundos, parecían ahora pequeños e inexpresivos, el cuerpo, antaño grácil, no era más que un saco de huesos, y aun así mal colocados, y la voz que fue sensual sonaba de pronto semejante al graznido de un cuervo... Para colmo de males, se había vuelto antipática o mala, o ambas cosas a la vez, y su espíritu carecía de todos y cada uno de los atributos que embellecen a las mujeres: la dulzura, la sumisión y la bondad, o la picardía, la ironía y la gracia... La soltera languidecía sola, alejada del mundo y de las diversiones. Se ajaba igual que una flor que hubiera sido abandonada en una esquina, sin agua y sin cuidados, y su destino solía ser el de la caridad, a la que aquellas vírgenes despreciadas se entregaban con cristiana y dolorida resignación.

Felicia no deseaba semejante porvenir para su protegida. Mariana era además un ser tan débil, tan necesitado de compañía, que sólo de la mano de un hombre que la amparase podría ir caminando por la vida, y aun así —pensaba Felicia con lástima—, seguramente a trompicones. Sin embargo, encontrar el marido adecuado para ella no iba a ser tarea fácil: cierto que el estado de sus finanzas era óptimo, pues a pesar de la desidia de Hugo de Montespin, los negocios de su difunto padre —bien regidos por sus colaboradores— seguían fructificando. Ella era por el momento la única heredera, y Felicia dudaba de que Hugo volviese a casarse. Pero había otras muchas jóvenes que gozaban de atributos semejantes. Y a su lado, Mariana parecía tan apocada, tan exageradamente tímida, que nadie se fijaba en ella, y cuando lo hacían era para extrañarse o burlarse de su silencio, de aquella tensión que siempre la obligaba a encoger los hombros y apretar los puños, de aquel desesperado afán de esconderse en los rincones y caminar pegada a las paredes... Además, habría que dar explicaciones: una joven como es debido llegaba siempre al matrimonio intacta, perfecta, y no era ése precisamente el caso de Mariana. Habría que inventar alguna mentira, y conseguir que el supuesto pretendiente la aceptara a pesar de todo... No, no iba a ser tarea fácil encontrarle un novio a la joven Montespin, ni siquiera llevando aquel apellido. Tal vez ésa fuera razón suficiente para interesar a algún advenedizo, a uno de esos muchachos venidos de provincias que buscaban en París labrarse un buen porvenir, y quizá estarían deseosos de emparejarse con alguien de tan ilustre y rica familia, a pesar de su carácter. Pero Felicia desconfiaba de los recién llegados. Ella quería para Mariana un hombre de toda la vida, uno de aquellos chicos a los que había visto crecer, observando cómo les cambiaba la voz, cómo les salía la barba, cómo los músculos se dilataban y endurecían, y a los que a veces —siempre muy en secreto, casi en secreto para ella misma— había deseado. Sí, Mariana se merecía un buen matrimonio, un hombre fuerte y seguro que no la hiciese sufrir. Y eso no iba a ser fácil.

Felicia decidió no contarle nada de sus proyectos: sólo conseguiría asustarla, hacer que se encogiese y se crispara aún más. Optó por obligarla a salir, a quitarse el luto y a salir, a frecuentar los lugares a los que una muchacha decente podía acudir en compañía de una amiga madura. Mariana se resistió, espantada al principio ante la idea de tener que conocer a tanta gente, de verse obligada a soportar miradas escrutadoras, y preguntas malintencionadas, y comentarios murmurados en voz baja, a su costa, mientras la observaban con disimulo y se reían descaradamente... Pero Felicia insistió tanto, y aseguró de tal manera su protección, que Mariana acabó cediendo.

Entonces comenzaron juntas las visitas, los paseos por el Bois de Boulogne, los recorridos por las casas de las modistas y los sombrereros, las salidas nocturnas, reglamentadas con disciplina casi militar: los lunes *Opéra*, los martes *Comédie*, los sábados *Opéra Comique*, y entremedias fiestas y cotillones... Mariana se dejaba llevar por su amiga, igual que se había dejado llevar por su padre. Pero los días empezaron a parecerle ahora más luminosos, más breves incluso. Poco a poco, aprendió a saludar sin que le temblase la mano, y a caminar olvidándose de la insoportable sensación de ser observada, aquella angustia que la empujaba contra las paredes, que la hacía sentirse enferma mientras cruzaba sola un salón, «algunos pasos más y llegaré, no te desboques ahora, corazón, aguanta», y le entraba un sudor frío, y corría a refugiarse en una esquina, protegida por los muros, resguardada de las miradas que imaginaba sarcásticas y burlonas... Ahora, junto a Felicia, se acostumbró a esbozar sonrisas con cierta gracia, a moverse con soltura entre aquellos a los que ya reconocía por sus nombres, e incluso a saber qué personajes se escondían bajo ciertos motes que a veces se utilizaban en las conversaciones: «La Napoleona —decían, y ella sabía que se referían a una famosa marquesa, fea y autoritaria como un general— ayer se superó a sí misma... Al pobre Morisot, un muchacho recién llegado de provincias que quiere ser escritor, se le ocurrió abrir la boca durante la cena, sin que ella le hubiese dado el turno de palabra. ¡Se puso como una fiera, y si no llega a ser por su marido, lo hubiera echado de la casa...! El joven estaba pálido como un muerto, y a duras penas lograba balbucear: "Si yo sólo quería pedir más patatas..."» Las risas estallaban, jubilosas, y Mariana sentía una alegría profunda, el inesperado y consolador sosiego de saberse parte de un mundo en el que muchas gentes reían a la vez, entendidas y despreocupadas...

Felicia estaba orgullosa de los progresos de su protegida. Sin embargo, aún no había ocurrido lo esperado: cada vez que la presentaba a alguno de los solteros disponibles aquella temporada en la ciudad, el apellido biensonante provocaba de inmediato sonrisas y atenciones. Pero apenas transcurrían unos instantes, todos parecían olvidarse de su existencia. En los bailes, su carnet estaba siempre medio vacío, y la mayor parte de las veces, si bailaba, era con algún hombre mayor, algún amigo de la propia Felicia al que ella obligaba a acercarse a la muchacha. Mariana no conseguía hacerse ver, como si fuera incorpórea...

Hasta que una noche ocurrió el milagro. Estaban invitadas a una fiesta en casa de la duquesa de Camaran. Felicia odiaba a aquella mujer altísima y orgullosa, que se preciaba de llevar en las venas sangre de antiguas favoritas de los reyes de Francia y hasta de príncipes polacos, que lucía siempre los vestidos más elegantes —en realidad, era ella quien marcaba la moda entre las damas maduras, imponiendo colores, escotes y tocados— y que daba bailes lujosísimos, los más lujosos de París, por los que se paseaba sin dignarse ni siquiera mirar a la mayor parte de los invitados, que a pesar de todo, acudían como acudirían a la corte de una reina displicente, llenos de orgullo, temor y envidia: asistir a las celebraciones de la duquesa de Camaran era un honor al que jamás nadie se atrevía a renunciar. Felicia previno a Mariana:

—No te preocupes si apenas te saluda. Es una mujer muy antipática.

—¿Y qué debo hacer?

—Agradécele su invitación, pero piensa que es capaz de dejarte con la palabra en la boca. Y sobre todo, no te angusties: todo el mundo sabe quién es Lucie de Camaran, y cómo se porta.

Mariana sentía que le temblaban las piernas mientras entraban en el palacio del barrio más aristocrático de París, un enorme edificio antiguo, grande e imponente como una catedral, que guardaba recuerdos de ciertas páginas de la vieja historia de Francia. Entre sus paredes se habían hecho y deshecho reputaciones, nombrado y condenado a ministros, favoritos y amantes. Allí habían nacido hijos de reyes, y desde allí habían sido trasladadas al convento, en medio de sollozos y súplicas y hasta mordiscos, algunas mujeres cuyo nombre y figura era mejor olvidar.

Lucie de Camaran saludaba a sus invitados a la puerta de la casa, acompañada por su marido, un hombrecillo pequeño e insignificante —uno de esos seres a los que nadie recordaría haber conocido de no ser por los títulos que lo adornaban como los bordados adornan las telas sin ellos humildes—, que sólo aspiraba a que le dejasen en paz con sus licores, sus cigarros y sus poemas. Había escrito miles de poesías, que él mismo hacía publicar en ediciones exquisitas, de carísimo papel encuadernado en piel de becerro, con el blasón de la familia, muy dorado, sobre su nombre: *Alexandre de Camaran, Poemas íntimos, Tomo I*. Y así hasta dieciséis. Sus libros ocupaban un lugar de privilegio en las bibliotecas de los amigos y deudos, o de cuantos intentaban ganarse el favor de tan linajuda familia, pero habían sido convertidos en cenizas por la mayor parte de los poetas, escritores e ilustres académicos a los que él se los enviaba, recibiendo con emoción que a veces desembocaba en lágrimas las cartas que, avisados, le hacían llegar, llenas siempre de piadosas mentiras, y que él coleccionaba en ordenados álbumes: «Estimado monsieur de Camaran: He leído con el corazón encogido el volumen XII de sus magníficos *Poemas íntimos*. Nunca la poesía francesa ha alcanzado tan altas cimas, etc., etc.»

Detrás de monsieur y madame de Camaran, su hijo Marcel repetía el saludo y la bienvenida a la casa, dejando luego a los invitados en manos de un criado que los conducía a los salones. Mariana se estremeció al verle: aquel rostro, aquellos rasgos tan familiares, sí, el mismo perfil afilado y suave, la frente despejada y algo oblicua, las cejas finas, los ojos oscuros y almendrados, con un leve aire femenino, desmentido sin embargo por la boca de labios exquisitos, de gesto firme y decidido bajo la cual se curvaba el mentón fuerte, aquel rostro tan conocido —o tan semejante en todo al conocido— le hizo creer por algunos instantes que estaba en Belbec, que era una niña cogida de la mano de su madre, recorriendo la sala de los retratos: «Mira, Mariana, el tatarabuelo Michel... Fue el hombre más apuesto de Francia en su época, antes de la Revolución, y quizá también el más despreocupado. Se pasó la vida celebrando fiestas, jugando a las cartas y enamorándose de las mujeres, de muchas mujeres. Hasta cinco veces se casó, pues una oscura maldición quería que todas sus esposas muriesen de parto al dar a luz al segundo hijo. Cada vez las lloró como si fuera la única, y cada vez se consoló en seguida, en un nuevo matrimonio, y siguió jugando, divirtiéndose, engendrando hijos y enterrando esposas... Pero cuando llegó la noticia de que el rey Luis había sido detenido al intentar huir, y desde las ventanas empezaron a verse las humaredas de los palacios que las turbas quemaban y saqueaban, mandó que le trajesen su mejor ropa de corte, hizo que le afeitaran, le peinaran y perfumaran, y una vez arreglado como para asistir al baile más deslumbrante, pidió que lo dejaran solo. Él mismo se degolló sobre el lecho con un cuchillo afilado como la punta de una aguja. Sin embargo, ni una sola gota de sangre cayó sobre él, y cuando lo encontraron, la cama apareció teñida de rojo, pero su hermoso rostro, que había hecho soñar a tantas mujeres, y el traje de seda y terciopelo estaban inmaculados...»

Marcel de Camaran escuchó atentamente el apellido de aquella joven, observó el rubor de sus mejillas y el temblor de la voz, y luego, mientras ella se alejaba hacia el salón, todavía estremecida, contempló el cuerpo robusto, que parecía prometer anchas caderas, un buen recipiente para criar hijos sanos y fuertes, y sonrió satisfecho. Marcel de Camaran era un hombre práctico. Nunca había compartido las languideces o las pasiones de la mayor parte de sus congéneres, y ni siquiera las comprendía. Él creía firmemente en la ley natural: «El amor —solía decir— no es más que el recurso de la raza humana para sobrevivir. Todas las especies llevan en sí mismas el afán de multiplicación, y luchan por mantenerse y dominar en un mundo enemigo. Si deseamos a las mujeres, es sólo porque vemos en ellas a las madres de futuros hijos que habrán de perpetuarnos. Convertir lo que es puro instinto animal en sentimiento, poesía y hasta tragedia no es más que una estupidez.» Consecuente con esas ideas, al joven Camaran no le gustaban las damiselas etéreas y ambiguas, de manos largas y pálidas, cuerpos estrechos y aspecto enfermizo, que tan de moda parecían estar en aquellos tiempos que le había tocado vivir. Por unos instantes, al ver el rostro de Mariana, con sus ojeras profundas y el inevitable rubor, creyó hallarse ante otra de aquellas jovencitas del día, que seguramente desearía enamorarse del primero que la mirara a los ojos, y luego convertiría al pobre marido en un esclavo obligado a toda clase de delicadezas y mimos, condenado para colmo a aceptar como hijos propios los que se le adjudicaban, sin ni siquiera tener la certeza de que lo fueran... Pero luego, al contemplarla de espaldas, mientras aún resonaba en sus oídos el nombre que aludía a riquezas ciertas y, a la vez, a aires de campo y firmes voluntades —la leyenda de la viuda Montespin había llegado intacta hasta allí—, rectificó su opinión y pensó que quizá aquél era su día de suerte.

Porque Marcel de Camaran andaba buscando esposa, y el asunto, dadas sus exigencias, no era fácil. Acababa de llegar a París, con un destacado destino en el Ministerio de la Guerra, después de haberse pasado varios años en la guarnición de Reims, donde había servido como capitán, luego de una brillante carrera militar en la escuela de Saint-Cyr. Su gusto por las armas había sido notorio desde la infancia, para asombro de su padre, que creía haberle inculcado el amor a las cosas del espíritu. Pero el muchacho detestaba la quietud de los libros. Lo que a él le gustaba era el ejercicio constante, aquella sensación de plenitud del cuerpo que le procuraba el movimiento, el permanente esfuerzo por superarse corriendo más rápido, saltando más alto, montando más ligero, o hiriendo antes —de mentirijillas, claro está— con la espada. Cuando salía con su preceptor, si llegaban a pasar por delante de algún colegio, a la hora del recreo, se quedaba mirando a través de la verja los juegos ruidosos, y si alguna vez coincidían con una pelea callejera, de muchachos sucios y mal vestidos, tenían que contenerle para que no corriera a mezclarse con ellos. Algún otoño, en el castillo que su familia poseía en Chantilly, llegó a escaparse de la casa para ponerse al frente de una banda de pillos pueblerinos que trepaban a los árboles, pisoteaban los sembrados y se bañaban en el río helado, entre frecuentes puñetazos, patadas y palabras malsonantes. Su vocación era realmente irrefrenable. En la escuela de Saint-Cyr fue uno de los alumnos más brillantes, y desde luego uno de los más felices. Adoraba el olor del sudor masculino, las reglas de la caballerosidad entre hombres, que no huían de la aspereza, y ya en los últimos cursos, y más tarde, durante los años pasados en Reims, aprendió a gozar de la alegría bullanguera del alcohol, la excitación del juego y la carne barata de las prostitutas, en las que descargaba sin contemplaciones sus «necesidades fisiológicas», como él solía decir. Pero, por encima de todo, descubrió el inmenso placer del mando: a veces se estremecía de gusto al comprobar que todo lo que ordenaba, por estúpido o insensato que fuese —y solía hacer la prueba— era inmediatamente cumplido a rajatabla. Mandar, y ser obedecido... En eso consistía el máximo goce de la existencia.

Pero Marcel de Camaran era también un digno vástago de su estirpe, a la que debía fidelidad. Desde hacía algún tiempo, estaba obsesionado por la idea de tener hijos que poblaran aquellas casas cuajadas de historia —en las que él era, por el momento, el último retoño—, y mantuvieran altiva la sangre. Desde su más temprana juventud, había despreciado a las remilgadas y frágiles muchachas parisinas, con cierta complacencia por parte de su madre, que estaba convencida de que nadie en el mundo conocido les llegaba a la altura de los talones. Cuando fue trasladado a Reims pensó que tal vez allí tendría más suerte: sí, una buena chica de provincias, de rancia familia pero no maleada por las enviciadas costumbres de la capital, podría sin duda satisfacer sus deseos. Pero Reims le reservaba una desagradable sorpresa: las solteras provincianas eran aún peores que las de París. Las imitaban a pies juntillas, añadiendo además a vestuarios, actitudes y gustos una cursilería insoportable. Sus cuerpos eran igual de flacos, pero peor vestidos, sus rostros remedaban la palidez con polvos perfumados de violetas que mareaban aun a distancia, y el pícaro recato de las jóvenes parisinas se convertía en ellas en ñoños melindres... ¡Nada que hacer! Y Marcel de Camaran empezaba a desesperar de su porvenir, cuando aquella noche, en la fiesta de su madre, conoció a Mariana de Montespin. Para asombro de todos —y envidia de todas—, la sacó a bailar cinco veces, a pesar de que su torpeza en los giros, la poca gracia para sujetarse el vestido y los tropezones que solía dar, obligando a su pareja a perder el compás, eran famosos en la ciudad. Pero aquella noche —milagro del amor— ella bailó como si no hubiera hecho otra cosa en toda la vida...

Porque Mariana se había enamorado. En realidad, como nunca había leído novelas, ni tenía amigas de su edad con las que hablar, no sabía muy bien qué era lo que le estaba ocurriendo. Pero desde que vio a Marcel de Camaran sintió una especie de escozor en el estómago, una vergüenza que en esta ocasión no estaba dictada por su miedo al hombre desconocido, sino por la perturbadora sensación de no haberse arreglado lo suficiente: sí, hubiera debido hacerle caso a Felicia, y ponerse el vestido rosa más escotado y el hermoso collar de turquesas que le había ofrecido, en lugar del traje sobrio y poco favorecedor... Sin duda alguna, Marcel de Camaran se hubiera fijado más en ella. Porque aquella noche, extrañamente, Mariana deseaba por vez primera que un hombre se fijase en ella... Desde el salón, lo veía saludar a los invitados a la entrada de la casa, inclinándose lo justo ante las mujeres y estrechando con la firmeza exacta la mano de los hombres, y en el rostro aquella media sonrisa que le marcaba arrugas en la mejilla, la misma sonrisa que siempre había imaginado cuando admiraba de pequeña el retrato de Michel de Tréville y se lo figuraba ofreciendo matrimonio a hermosísimas damas, o preparándose para aquel suicidio digno y grandilocuente... Tenía la sensación de que lo conocía desde siempre, aun desde antes de nacer, y le parecía que algo que no era el cariño suave por su madre, ni la necesidad atormentada del padre, ni siquiera la alegría que le procuraba la presencia de Felicia, algo más profundo que todo lo que había sentido hasta entonces, más irremediable y doloroso y fuerte la unía a él. Por eso, cuando empezó a tocar la orquesta y lo vio acercarse a ella, y pedirle el baile con una ligera inclinación de la cabeza, sin sonreír, como si se hubiera pasado toda la vida haciendo aquel mismo gesto, la misma invitación repetida mil veces, y no cupiera ninguna duda sobre la respuesta, Mariana no se asombró. Ni siquiera se sintió azarada: aquello era, pensaba, lo que tenía que ser. Y bailó con Marcel de Camaran sabiéndose tranquila y ligera, como si sus brazos tuviesen el poder de serenarla. Allí, sostenida por él, se creía capaz de recorrer el salón entero, girando en perfecto compás, y hasta el mundo, que ya no sería negro y grande, sino lleno de luz y suave, igual que la sombra de los robles de Belbec en los días calurosos... Sí, a su lado la vida era dulce, y tibia, y hermosa, como nunca lo había sido.

Desde aquel día, Mariana de Montespin se convirtió en la mujer de moda en París. Todas las jóvenes querían conocerla íntimamente, descubrir qué secretos guardaba aquella muchacha que parecía no haber existido hasta el baile de madame de Camaran, para cautivar de esa manera a uno de los solteros más codiciados y exigentes del momento. Y ellos, al menos los que aún no estaban comprometidos, descubrieron de pronto que mademoiselle de Montespin tenía un encanto muy singular, que no se sabía muy bien en qué consistía, pero que sin duda consistía en algo, y los más atrevidos iniciaron incluso una discreta corte, «por si acaso», decían, rápidamente interrumpida en cuanto se supo que Marcel de Camaran no estaba jugando. Porque el joven capitán había decidido, en algunos minutos, mientras seguía recibiendo a los invitados a la puerta de la casa de sus padres, que aquélla bien podría ser su mujer. Y la asombrosa naturalidad de Mariana al aceptar su invitación al baile, sin hacer los gestos raros que solían hacer las muchachas —como escondiéndose y ofreciéndose a la vez, fingiendo sorpresa pero dando por hecho que ellas eran la mejor elección posible—, terminó de convencerle: por primera vez, pensaba, se había encontrado con una mujer recta, una mujer que no necesitaba melindres ni delicadezas, que sería suya, igual que eran suyos los uniformes, o las armas, o los caballos magníficos, o las voluntades de sus soldados...

Felicia no cabía en sí de contento: si todo salía bien, Mariana pasaría a formar parte de una de las familias más ilustres y antiguas de Francia. El éxito le parecía muy superior a todo lo que había imaginado. Marcel de Camaran no era un hombre tierno, ni siquiera simpático. Su corte alrededor de Mariana era seca y desabrida: ni un gesto afectuoso, ni una osadía —intentar besarla en la oscuridad de un jardín, por ejemplo—, ni un regalo de los que tanto conmueven el corazón de las mujeres, ni una carta al menos llena de palabras hermosas, de ésas que hacen creer que el enamorado ya no puede seguir viviendo sin la presencia constante de su amada... Todo se reducía a ofrecerle el brazo secamente en los teatros y en las fiestas, a acercarle la silla o abrirle las puertas con fría amabilidad, y, eso sí, a permanecer a su lado —el escaso tiempo que Marcel solía permanecer entre mujeres—, sin mirar a ninguna otra. Pero Felicia había aprendido que las ternuras y las palabras hermosas, y los gestos lánguidos o desesperados eran a menudo tan engañosos como esas mañanas de verano que amanecen radiantes, y en las que sin embargo un leve y lejano aroma a tierra mojada anuncia, sin que nadie se dé cuenta, la repentina llegada de la tormenta. Y además, Mariana parecía feliz, como si la presencia de Marcel a su lado alejara de ella el miedo, dándole fuerzas y valor. Era cierto que a Felicia la inquietaba su dependencia, la permanente necesidad que tenía de la presencia de Marcel —siempre buscándolo con los ojos, preguntando por él en cuanto se alejaba—, y la sumisión con que admitía sus órdenes y su comportamiento: nunca parecía estar insatisfecha, jamás ponía en duda que lo que él decidía —el lugar donde debían encontrarse, la gente a la que convenía que frecuentara, incluso la intensidad que había que dar a los aplausos al final de una obra o de una ópera— era lo más oportuno. Ni una sola queja había salido de sus labios respecto a la actitud de su pretendiente, ni una sola duda sobre su amor... Tanta docilidad le parecía a Felicia excesiva. Pero lo que es insoportable para unos —pensaba—, hace, sin embargo, la dicha de otros, y quizá su amiga sería feliz así, dejándose llevar, aceptando la vida que le marcaban, desapareciendo tras las opiniones y los gustos de un marido autoritario...

Lo que realmente preocupaba a Felicia, lo que le quitaba el sueño por las noches, haciéndole dar vueltas y más vueltas en la cama, era la dudosa condición de las entrañas de Mariana: desde luego, ella iba a tener que intervenir en el asunto. Pero, ¿qué podía decirle a Marcel de Camaran, qué mentira iba a contarle para evitar que inmediatamente después de la boda estallase un escándalo que nunca se iba a perdonar a sí misma...? ¿Y cómo reaccionaría él ante aquella falta grave...? Felicia temblaba al pensarlo, pero decidió al fin adelantarse a los acontecimientos y hablar con él antes de que fuera demasiado tarde. Y así, una mañana de primavera, cuando todo París se preparaba ya para los fastos finales de aquella brillante temporada de 1902, antes de que todos salieran huyendo del mortal aburrimiento del verano camino de sus residencias en la costa, la baronesa viuda de Lacale visitó en sus aposentos al futuro duque de Camaran:

—Le he pedido esta entrevista porque debo hablar con usted algo de suma importancia.

Notaba Felicia que tenía las manos heladas. Se las frotó con fuerza, intentando darles calor. Marcel sólo hizo un gesto brusco con la cabeza, como ordenándole que siguiera.

—Antes de nada, monsieur de Camaran, quisiera preguntarle algo sin duda delicado. Pero no crea que he venido a verle para hacerle reproches en caso de que su respuesta sea negativa. —Los dedos se le estaban quedando rígidos. Los agitó con disimulo en el aire—. ¿Pretende usted casarse con mademoiselle de Montespin?

Marcel de Camaran no pareció ofenderse, ni

alterarse, ni siquiera sorprenderse lo más mínimo. Su respuesta sonó tan natural como el relincho de un caballo en las praderas verdes de las montañas:

—Por supuesto que sí.

—Entonces tengo que contarle algo muy triste. Espero que sepa usted comprenderlo y aceptarlo.

Y Felicia bajó el tono de la voz, y arrugó un poco los labios y los ojos, para que pareciese que estaba compungida y que quería hacer partícipe a su anfitrión de aquella pena. Las manos estaban cada vez más frías, y optó por cruzar los brazos y cobijarlas bajo ellos:

—No creo que Mariana se haya atrevido a contarle a usted... Ella es todavía una niña, y claro...

Monsieur de Camaran no se inmutó.

—Verá usted, ella ha llevado una vida un poco rara allí en Normandía, tan aislada del mundo... —Las manos parecían por fin volver a la vida. Felicia se lanzó a la mentira, igual que el caminante sediento se abalanza sobre la fuente, disfrutándola—. Mademoiselle de Montespin, cuando era niña y vivía en Belbec, acostumbraba a jugar sola en el parque del castillo. Un hábito fácil de disculpar, convendrá usted, en aquellas circunstancias... Una tarde —tenía entonces trece años—, mientras correteaba por la parte más alejada de la casa, un mendigo harapiento apareció de pronto entre los árboles. La niña se asustó, y echó a correr. Pero el hombretón se lanzó tras ella y le dio alcance. Lo demás, monsieur de Camaran, puede usted imaginárselo...

Mientras ella hablaba, Marcel había alzado ligeramente las cejas. Ahora su rostro volvía a ser impasible, aunque antes de responder carraspeó ligeramente:

—Bien. Le estoy muy reconocido por su advertencia, madame.

Felicia había vuelto a abrir los brazos, dejando descansar sobre su falda las manos, que sudaban ahora de una manera realmente desagradable. Se dio cuenta de que Marcel de Camaran no pensaba decir nada más, así que no le quedó más remedio que atreverse a preguntar:

—¿Cambia esto sus proyectos?

Él se puso en pie:

—Claro que no. No es nada que me afecte.

Felicia se sintió ligera como una mariposa. Se levantó para despedirse y, mientras se iba, llena de sonrisas y gestos de confianza, se ocupó de tranquilizarle respecto a aquella conversación: por supuesto, nada le diría a Mariana hasta que él hubiera cumplido con el trámite de pedirla en matrimonio.

—Sí, sí, claro... Antes del verano estará hecho —repondió él.

Y lo dijo como si estuviera hablando de un papel que hubiera que firmar para alguna diligencia ordinaria, o de un pequeño y previsible negocio a punto de ser cerrado. Felicia, sin embargo, soltó una risita tonta y salió después al aire de París, perfumado de sol aquella mañana, un aire ligero y alegre, como burbujas de champaña, o pompas de jabón que flotasen irisadas e inocentes, camino del desvanecimiento.

# VI

DE LA BODA DE MARCEL DE CAMARAN y Mariana de Montespin se habló en París durante meses. Incluso años más tarde, cuando los brillos deslumbrantes del comienzo del siglo habían sido apagados por el fulgor asesino de la guerra, quienes habían estado allí no podían olvidar el aspecto del parque del palacio de Chantilly, cubierto con centenares de alfombras traídas desde Oriente, iluminado por farolillos venecianos, a cuya tenue luz las figuras pálidas de las damas se convertían en adorables espectros, y en sombras poderosas los oscuros perfiles masculinos, mientras se oía de fondo el canto melódico de la orquesta, tamizado por la dulzura del aire, entremezclándose a los chillidos excitados de los pavos reales, confusos en aquella alba simulada. Lo recordaban igual que si formara parte de un cuento antiguo, de una de esas historias de infancia en las que, mientras somos niños, creemos a pies juntillas —y vemos entonces como castillos poblados de hadas lo que no son más que viejos caserones arruinados, compartimos proezas y hechizos con caballeros y princesas, que se nos antojan verdaderos y carnales—, y que luego, ya adultos, rememoramos con nostalgia de la inocencia, mientras creemos percibir aún en los brazos el peso de la espada, o el sabor de los besos encantados sobre los labios...

Mariana asistió a su boda con un sentimiento de profunda felicidad, como si una luciérnaga se le hubiera encendido en el corazón, borrando todas las sombras. No era la ceremonia lo que la excitaba, ni el hermoso y carísimo vestido, ni la perfección de la fiesta, a la que acudió todo el mundo digno de ser llamado así, sino la sensación de saber que, a partir de aquel momento, su vida pertenecía por completo a Marcel, que él decidiría —aún con más intensidad que hasta entonces— cada uno de los pasos que debía dar, que la llevaría cogida de la mano desde el alba hasta el alba, y la existencia sería para ella una ancha avenida soleada, un camino llano y hermoso en una mañana de primavera, una playa suave de arena y brisa...

Felicia lloró como llora una madre, de orgullo y temor y lástima y esperanza. También la tía Alicia, que en los últimos meses, después de conocerse el compromiso, se había esforzado por intimar con Mariana, sacó varias veces el pañuelito, todavía húmedo en su memoria de las lágrimas del marido de su mejor amiga, quien después de largos años de lánguidas caídas de ojos e intencionados tropezones en las esquinas, y hasta algún que otro roce de rodillas por debajo de las mesas, le había enviado hacía algunas semanas una misiva apasionada:

*Mi adorada Alicia:*

*He tardado años en escribirle esta carta, que yacía sin embargo esbozada en el fondo de mi corazón, pugnando por salir a la luz. Pero ahora debo hacerlo, porque ya no puedo soportar más su constante presencia, y el deseo y la angustia que ella me provoca. La vida es para mí un infierno: cada vez que la veo a usted —y la veo demasiado a menudo—, cada vez que contemplo el fuego de sus ojos, y aspiro el perfume de su pálida piel, me siento enloquecer. Imagino ese fuego devorándome, el perfume impregnándose en mi propia piel, que acariciaría la suya como el agua acaricia el agua... ¡Ah, Alicia, así debe de ser el paraíso! Pero la ausencia de ese placer es para mí como un averno de hielos y hogueras. Y me veo obligado a vivir sin vivir, mi adorada sirena de los mares, torturándome en las noches que se me antojan infinitas de su ausencia y su recuerdo, quemándome en este frío de no estar usted a mi lado, sintiendo en vano el pulso agitado de mi sangre todavía joven y ardiente cuando la recuerdo...*

*¡Y usted, Venus ingrata, finge entretanto que no me ve, que no ha notado el temblor que me sacude en su presencia, la codicia con la que aspiro el aire perfumado a su alrededor, persiguiendo su estela...! Dígame qué debo hacer, diosa venerada. Mi destino está en sus manos. Si me ama, no prolongue más mi sufrimiento. Permítame que yo la ame como nadie lo ha hecho nunca. Déjeme llenar su existencia de placer y de dicha. Perdámonos juntos en el sendero del gozo*

*mutuo, y la vida tendrá que arrodillarse a nues-*
*tros pies...*

*Pero si usted no responde a mi carta, si finge*
*no haberla leído o el rigor endurece para mí su*
*dulce mirada, entonces desapareceré por siempre.*
*Aunque desde el más allá, se lo juro, seguiré de-*
*seándola como ahora la deseo.*

*¡Tenga piedad de un pobre corazón traspa-*
*sado!*

*Suyo por toda la eternidad*

JEAN DE BORNECOURT

Alicia leyó la carta como si la sorbiese, igual
que una adolescente leería la primera misiva del
primer amor, enrojeciendo de placer, mordiéndo-
se los labios y entornando un poco los ojos, y
después aspiró su perfume, la besó convulsiva-
mente y la apretó contra su pecho, imaginando
por unos instantes que era la cabeza canosa —y
ya algo calva— de Jean la que descansaba sobre
sus senos de madre generosa... Aquella noche, en
el teatro Eden, cuando él apareció en el palco y
la miró atravesándola, ella repitió el gesto, las
manos abiertas ahora sobre el pecho, ofreciéndose a él, que exhaló un suspiro profundo y sonoro, tan sonoro que todos los rostros se volvieron
a contemplarlo, sorprendidos, todos menos el de
Alicia, que bajaba los ojos y sonreía con timidez...
Se había pasado la tarde decidiendo qué respuesta dar a aquella súbita declaración de amor.
Hacía ya tiempo —desde que el oficial ruso se
fue de París— que no atesoraba nuevos recuerdos en el estuche de joyas de su corazón, y los
antiguos empezaban a parecerle un poco mano-

seados. A veces llegaba a preguntarse si la edad
—estaba a punto de cumplir cincuenta años— no
iba a privarla ya por siempre de nuevas emociones. Esa idea la entristecía hasta el punto de hacerla llorar durante largas horas, por la noche,
mientras escarbaba en su memoria gastada, y
también por las mañanas, cuando se contemplaba en el espejo y descubría una nueva arruga en
torno a los ojos, una flacidez en las mejillas que
era como un cuchillo clavado en la carne, el es-
tigma imborrable de la edad. Pero no era la vejez
en sí lo que la espantaba, sino el rechazo de los
hombres, la angustia de tener que vivir en adelante sin que ninguna voz volviese a susurrar en
su oído, sin sentir nunca más la deliciosa satis-
facción de haber procurado placer, algo que la
entusiasmaba hasta el punto de fingir a menudo
un gozo compartido, en un esfuerzo que ella creía
debido a su altruismo y que lo era, en realidad,
al puro orgullo. En aquel desierto de sentimenta-
lismo en el que vivía desde hacía meses, la carta
de Jean de Bornecourt desbocó su corazón y su
fantasía. Ella había notado, por supuesto, el largo
coqueteo de aquel hombre serio y reservado. Pero
nunca pensó que la cosa pudiera llegar más lejos
de un simple juego. Ahora, de pronto, sabía que
era la reina de sus pensamientos, la diosa de sus
noches. Y al mirarse al espejo, se encontró menos
vieja de lo que el día anterior había creído: a
decir verdad, las grasas que la envolvían evitaban que su piel se arrugase como la de otras mujeres de su edad, y si se comparaba con ellas, su
rostro seguía teniendo —visto a una cierta luz—
un aire juvenil e incluso algo aniñado... Alicia se

echó a reír ante sí misma, y de su garganta salió un gorgoteo alegre y ruidoso, que le pareció muy acorde con su aspecto y con su ánimo. Tenía que superar, claro está, la pizca de arrepentimiento que sentía en el fondo de la conciencia por engañar a su mejor amiga. Pero era tan pequeña, y estaba tan en el fondo, que la superó fácilmente: al fin y al cabo, hacía años que a Béatrice no le interesaba nada su marido. Ni siquiera los de las otras. Era un caso raro, alguien que declaraba en voz alta —y cumplía a rajatabla en la intimidad— que los cuerpos ajenos sólo le procuraban asco. Nunca llegaría a enterarse, pero si lo hacía, estaba segura de que no se lo tomaría peor que cualquier otra de sus relaciones, cuya confesión siempre escuchaba con aplastante desdén. Lo que acabó, sin embargo, de decidirla fue la velada amenaza que creía vislumbrar en la carta: ¿Y si Jean de Bornecourt, rechazado, se suicidaba...? Al fin y al cabo, no hacía mucho que un guapo muchacho se había dado muerte con su pistola, en el Bois, por causa del amor frustrado de una conocida actriz. Monsieur de Bornecourt ya no era joven, cierto, pero también algunos hombres adultos se pierden en la locura del amor. Y ella no quería ser responsable de una muerte...

Jean y Alicia iniciaron al día siguiente un amor alborotado y urgente, una de esas pasiones apresuradas en las que apenas hay tiempo para deshacerse de la ropa, y el final del placer sorprende así a los amantes a medio desvestir, engurruñados en las rodillas los pantalones del hombre, entreabierta la camisa sobre el pecho, ella a punto de ahogarse bajo las faldas y las ena-

130

guas remangadas... Eran encuentros breves y tiernos, en los que se decían palabras cariñosas e inocentes —mi paloma, cascabel, tesoro de mi vida— y que terminaban siempre preguntándose el uno al otro por sus respectivos cónyuges, mientras Alicia trataba de arreglarle nerviosamente la ropa, tirando de aquí, metiendo de allá, y le pasaba los dedos húmedos de saliva sobre las cejas y el bigote, canos y rebeldes... Pero aquel amor duró muy poco. Un domingo, un triste domingo, Jean de Bornecourt llegó al lugar de sus encuentros silencioso, mustio, y alargó el beso de saludo más de lo habitual, empeñándose en no soltarla, hasta dejarla sin resuello. Alicia, acostumbrada ya a los finales dolorosos, sintió sonar en su corazón una sombría marcha fúnebre. No hizo falta preguntar nada: el amado comenzó a llorar, lágrimas largas, lágrimas sonoras, de niño que ha cometido una falta y ansía confesarla. Habló de la misa matinal, de la culpa, del arrepentimiento, del perdón... Antes de irse, dijo: «No puedo ser el amante de la mejor amiga de mi esposa. Pero te amaré el resto de mi vida y de mi muerte...» Aquella escena llenó el estuche de tesoros de Alicia hasta casi desbordarlo. Se le quedó un regusto de tristeza y nostalgia del que disfrutaba largamente en las noches solitarias, con más fruición aún si cabe al pensar que aquél era con toda probabilidad el último amor de su vida. Y allí, en la boda de su sobrina, manoseaba una y otra vez el pañuelito regado de las lágrimas de Jean, del que no se había vuelto a separar, y cuyo tacto le enternecía el corazón.

A su lado estaba la tía Mercedes, sumida

desde hacía tiempo en una profunda melancolía. Después que nació su segundo hijo, aquella mujer, a la que todos habían considerado hasta entonces alegre y sensata, cayó en un estado de tristeza irrefrenable. Se pasaba muchos días llorando hasta el alba, sin saber porqué, sintiendo una pesadumbre confusa y terrible que se contagiaba al mundo entero, donde sólo veía amenazas y sombras, y cuando no lloraba, vagaba por la casa como un alma en pena, incapaz de organizarse, de tomar decisiones, de arreglarse para salir, o cuando menos, para recibir... Así se le pasaban los días, entre proyectos siempre postergados, suspiros, debilidades y visitas a los médicos que recetaban pócimas y baños, y hasta aquellas modernas corrientes eléctricas, que, sin embargo, no parecían mejorar nada el estado abismal de su espíritu. Lo único que la consolaba e interesaba, lo único a lo que aún dedicaba las energías que permanecían refugiadas en el fondo de sus células, era el trato con el más allá: desde hacía algunos años, Mercedes formaba parte de ciertas sociedades espiritistas, donde hombres y mujeres singulares, de falsos acentos exóticos y ropas estrafalarias se reunían para convocar a los muertos y recibir sus mensajes. María Antonieta, Chopin, Napoleón, san Judas Tadeo y hasta Sócrates eran para Mercedes mucho más familiares que la mayor parte de sus contemporáneos. Hablaba de ellos con una naturalidad pasmosa, y aquel mundo de espectros, veladores agitados en el aire, mensajes en clave y golpes en las paredes le resultaba mucho más real y cercano que los sucesos de París. Con el tiempo, se le había ido poniendo, por contagio, un aspecto fantasmal: el rostro demacrado y transparente, los ojos enfebrecidos, un aire de sombra ligera, que se moviese flotando alrededor de las cosas, sin ruidos ni roces... A Dios gracias, Mercedes había tenido mucha suerte en su matrimonio. Su marido, Adrien de Jarnat, era un hombre bueno y paciente, que la amó con verdadera pasión durante muchos años, sufrió como un calvario la enfermedad de su espíritu, y después, dulcificado el dolor, consolado por la costumbre, siguió ocupándose de ella como un padre amantísimo velaría por una hija privada de seso: con cariño, paciencia, y mano dura cuando era necesario. Él, entretanto, se había ligado en larga relación con una de las doncellas de la casa, una mujer alegre y equilibrada, criada entre cerdos y revolcones en el heno, que a su vez cuidaba de él y lo consolaba en sus momentos de decaimiento con arrumacos, caldos sabrosos que le preparaba con sus propias manos, y el ejercicio de una pasión sana y madura. Ella era feliz así —al fin y al cabo, nunca había aspirado a tanto en la vida—, aunque a veces, en noches sombrías, la asaltaba el miedo a una vejez desdentada y reumática, abandonada en cualquier asilo donde moriría sola, en medio de otros pobres que nunca se creerían que había vivido como en matrimonio con un gran señor...

Mariana no había visto a Mercedes desde la infancia. Sólo tenía de ella un recuerdo confuso, en el que se entremezclaban agitados preparativos en la casa, ruidos de coches, un deslumbrante vestido azul, Annick correteando de un lado para otro, una mano enjoyada que simulaba acariciar, el cochero besando a una doncella en un rincón de la cuadra, unos ojos clarísimos que la miraban con dureza... Estaba avisada del estado de su tía, y sin embargo, cuando se acercó a ella y le susurró al oído con voz ronca y entrecortada: «Ten cuidado con las sombras... Tu madre me ha ordenado que te lo diga», Mariana se estremeció y estuvo a punto de perder el aplomo. Pero su prima Cristina, siempre vivaz, la sujetó por la cintura: «No le hagas caso a mamá. La pobre está completamente loca, ya sabes.» Mercedes se había alejado, levantando la túnica de terciopelo malva, bordada con extrañas espirales de hilo de plata, que flotaba a su alrededor siguiendo la exacta cadencia del cabello, muy largo y suelto, apenas retenido sobre la cabeza por una diadema de raras piedras mates... Mariana no quiso, aquella noche, dejarse vencer por el miedo, y sonrió y siguió besando a sus primas y primos, que desfilaban ahora ante ella. En los últimos meses, habían venido muchas veces a visitarla, o la habían invitado a sus fiestas, empeñados en tratarla con una confianza y un afecto que en realidad jamás había existido. Mariana se esforzaba por devolverles el cariño, intentaba buscar en el fondo de su corazón aquello que debía unirla a ellos, la sangre, los recuerdos comunes, la raíz profunda en el tiempo de la familia... Pero a pesar de los gestos, percibía sin quererlo el desprecio que en realidad sentían hacia ella, aquella muchacha nieta de campesinos, una pobre pueblerina que se había criado sin educación, una mosquita muerta fea y sosa que había logrado cazar a uno de los hombres más deseados, mientras ellas, las primas, hermosas, exquisitas, dotadas para el baile, poseedoras de un reconocido buen gusto, ejercitadas en la seducción, seguían solteras esperando el momento en que un hombre quisiera prestarles su apellido para organizar casas, y recibir, y ponerse enormes sombreros, y comprarse joyas muy caras y disfrutar de la carne hasta entonces prohibida... «¡Estás guapísima!», decían, tocando la seda marfileña, mirando con disimulo a Marcel, que apenas se inclinó para saludarlas. «¡Es todo precioso, precioso...!», y luego, al alejarse: «¡Hay que ver! La pobre no tiene ningún encanto... Ni siquiera el día de su boda, y con semejante hombre a su lado...» «Sí, parece que se hubiera tragado el palo de una escoba...», y las risas se perdían, cascabeleando entre las rosas y las camelias, y más allá, sobre las aguas plateadas del estanque, donde dormitaban los cisnes.

A medianoche, Marcel y Mariana se retiraron al apartamento que les habían preparado en lo alto del torreón del palacete. Mientras subían las escaleras, él delante de ella, presuroso, sorteando los peldaños de dos en dos, con aquella costumbre suya de dar zancadas, sin resignarse a apaciguar ni siquiera lejos de los cuarteles las energías y la brusquedad, Mariana se acordó de la conversación que había vuelto a tener con Felicia la noche anterior:

—Le dije que habías sido forzada, no lo olvides. Tiene que parecer que no sabes nada de nada... Recuérdalo bien, por Dios.

—Pero Felicia... No puedo empezar mi matrimonio engañando a mi marido...

—¡No seas ingenua! ¿Qué pasaría si él se enterase de lo que ocurrió con tu padre?

Mariana enrojecía, avergonzada al recordar aquellas semanas de horrible pecado.

A Dios gracias, Hugo de Montespin no había asistido a la boda. Seguía fuera, en Nueva York ahora, adonde había llegado en compañía de la bailarina y donde había decidido quedarse, seducido por una ciudad en la que las mujeres eran bastiones infranqueables de virtud, todo un reto para su cuerpo aburrido ya de las facilidades. Desde allí envió una carta que Mariana leyó con el corazón latiéndole en las sienes:

*Mi muy querida hija:*

*Me llega de mi oficina en París la escueta tarjeta dándome cuenta de tu boda. ¿Eso es todo lo que tienes que decirle a un padre que tanto te ha querido...? ¿Has olvidado ya cómo te estrechaba entre mis brazos en los malos momentos, cómo te consolé de la soledad...? Me duele esa frialdad que intuyo en tu corazón, desde esta orilla del mar donde siempre, Mariana, te lo juro, tú estás presente en mi recuerdo, igual de viva, de tierna, de débil, de hermosa, igual de entregada y pequeña y madura que aquellos días que pasamos juntos. Me conforta no obstante saber que pronto, estoy seguro de ello, tú me recordarás de la misma manera, y desearás de nuevo descansar tu cabeza en mi pecho, y sentir mi mano acariciándote, alejando el mal, como entonces...*

*Yo esperaré tu llamada. Entretanto seguiré aquí, en esta ciudad que aspira a un cielo que para mí, sin embargo, no puede existir lejos de mi pequeña.*

*Recibe todo el amor de tu padre*

HUGO DE MONTESPIN

A Mariana le dolió el corazón. Se le puso como una pesadez allí, en el seno, una congoja apretada y densa que no la dejaba respirar. Quería tener asco, asco de su padre y de sí misma, de todo aquel tiempo que había vivido hechizada, dominada por el espíritu de la madre, que tal vez le había expresado así su amor —un último gesto de amor ofrecido desde el más allá—, metiéndosele por dentro para que su padre la deseara, para que la tomase en las noches igual que la tomaba a ella, y la sacara de Belbec, se la llevara con él lejos, librándola del ruido de la losa, del olor a polvo de la ropa, de la presencia de la muerte, de la soledad... Quería tener asco, pero los recuerdos llegaban dulces como la tibieza del fuego en las noches de tempestad, y la obligaban a añorar lo que no deseaba añorar: las manos que acariciaban, suaves, y luego sujetaban firmes, y oprimían y lastimaban, y de nuevo acariciaban, reposadas ya, y dueñas... El cuerpo poderoso que vencía las sombras y el miedo, y el corazón que latía inalterable, firme, y espantaba el silencio y la quietud angustiosa, espantaba la muerte... Mariana creyó enfermar de vergüenza: ¿Cómo podía ser, cómo era posible que aquel horrendo pecado hubiera dejado en ella esa sensación de dicha, esa luz que parecía iluminar todo, como si las figuras se recortasen en su memoria limpias, inmaculadas sobre un fondo blanco, y no envueltas en los horribles vapores del infierno...? Estuvo a punto de ir corriendo a casa de Marcel, y arrodillarse a sus pies, pedirle perdón por el pasado y los recuerdos, por haber recibido de alguien —de su propio padre— lo que sólo podía llegarle de él, la paz, el placer... Ansiaba suplicarle que la amase del mismo modo, que le permitiera olvidar que todo eso había sido posible antes de él, lejos de él... Por suerte, el recuerdo de Marcel consiguió tranquilizarla: a su lado, todo se le iría de la memoria, Hugo de Montespin se desvanecería, igual que se desvanecen los aros del humo sucio en el aire límpido, y él, su esposo, ocuparía cada rincón de su alma y de su vientre, señor único del cuerpo y el espíritu...

A pesar de todo, aquel día lo pasó en la cama. La carta la rompió en mil pedazos, con saña, como si con ella destrozara los recuerdos y la culpa, y la echó al fuego de la chimenea. El aire de su habitación se llenó de olor a sándalo y a madera, y por la noche volvió a soñar con él, con Hugo de Montespin, que regresaba de Nueva York, y la abrazaba, pero sus manos se transformaban mientras la abrazaba en garras espantosas, y le dejaban la espalda y el cuello cubiertos de sangre.

Marcel esperó en la puerta hasta que Mariana estuvo en el lecho, Mariana, que temblaba como una niña en presencia de una aparición divina, que se sonrojaba y sofocaba igual que si le hubieran metido un carbón ardiente por dentro, y pensaba que no tenía que recordar aunque recordaba, esforzándose por permanecer inmóvil, apenas apoyadas las manos en la espalda de aquel hombre que le estaba entrando tan dentro, y la hacía sentirse como un árbol que hubiese permanecido en lo alto de la montaña, sobre el abismo, solo, retorciéndosele el tronco de asfixia de soles asesinos y helamientos de fríos mortales, agarrándosele las raíces a las rocas secas, aterrándose de aquel vacío de negruras y fuegos y vendavales, muriéndose sin querer morirse, y que ahora recibiera, de pronto, la lluvia torrencial del cielo, divina lluvia que daba vida, que repicaba sobre las hojas y jugueteaba en la corteza y chapoteaba en los tallos agostados, lluvia sagrada que haría nacer a su alrededor flores amigas, hierbas compañeras, hiedras hermanas que treparían por su tronco abrazándolo...

Todo fue muy breve. Él se sacudió de pronto, agitada la respiración, que resonaba en su oído. No hubo quejidos, ni reposo, ni caricias... Se apartó de su lado sin decir nada, y se durmió en seguida. Mariana no. Mariana se quedó allí, en medio de la noche, desvelada, sorprendida aún del silencio, de la ausencia en su cuerpo de aquella convulsión final a la que se había acostumbrado en el pasado. Entonces abrió los ojos en la oscuridad, y se sentó en la cama para comprobar el vacío: sólo sombras de muebles, el trazo luminoso de la ventana, detrás de las cortinas, las voces lejanas de los invitados, que aún jugaban a príncipes y princesas de la noche en el jardín... Y el sonido perfecto de la respiración, el perfecto perfil del cuerpo tendido a su lado, tibio, aquel cuerpo que dejaría por la mañana la marca de su peso sobre el colchón, el olor en las sábanas, las huellas imborrables y únicas de la compañía... No, la muerte no había venido esa noche, ni vendría nunca más, ninguna noche más mientras él estuviera a su lado, porque todas las noches estarían ya por siempre envueltas en aquella paz perfecta, en la perfecta ilusión de la mañana siguiente, de todas las mañanas siguientes, perfectas y deseables. Mariana se abrazó a Marcel para dormirse, con cuidado de no despertarle.

# VII

UNA MATA DE SIEMPREVIVAS había crecido sobre
la tumba, justo en el oscuro resquicio que separaba la sepultura de la pared fría de la iglesia.
Era extraña, aquella abundancia de vida abriéndose al aire sobre la muerte, salpicando de polvo
dorado la losa, polvo fecundo, diminutas partículas grávidas que quizá se colarían por alguna
rendija y caerían abajo, sobre los huesos —ceniza
ya, tal vez— de su madre, polvo dorado y vivo
sobre el negro polvo de la muerte... Las flores
amarillas cubrían la inscripción, aquellas palabras misteriosas que alguien debía de haber
puesto allí, después de que ella se fuera de Belbec: «*Teresa de Montespin, nacida de Tréville.
1860-1901. Amó y fue amada. Sin esperanza.*»
  A Mariana se le llenaron los ojos de lágrimas:
¿Era posible que su madre, que murió con el
corazón roto de soledad, hubiera sido amada...?
Y entonces, ¿quién había sido? ¿Quién podía haber escrito algo tan triste y tan hermoso? No era
cosa del padre, de eso estaba segura: él —que
nunca la amó en vida— jamás había honrado su
memoria después de muerta... Tampoco era pro-

141

bable que se hubiesen ocupado del epitafio sus tías, que apenas recordaban la existencia de esa hermana a la que ni siquiera habían querido...

En las bóvedas resonó largo un ruido brusco, quizá el crujido de una madera, el aleteo de un murciélago, la caída de una tela de araña sobre el suelo de aquella iglesia donde los sonidos se amplificaban como en una gruta... Mariana alzó la vista. Había dejado de llover, y en lo alto, la luz de un hermoso sol de setiembre entraba a través del alabastro de las ventanas, plateándose en el aire, como miles de diminutas y transparentes alas que jugasen a perseguirse y entrechocar... Y de pronto, deslumbrada, recordó algo, una mañana semejante de hacía mucho tiempo, tanto que creía haberla olvidado, tanto que apenas recordaba fragmentos, gestos, sonidos, las alas de una luz semejante en lo alto —que tal vez ella contemplaba mientras la madre rezaba, encogida, en el rincón más oscuro de la capilla más pequeña—, y luego unos ojos azules, y el grito contenido de madame de Montespin que se cubría el rostro con la mantilla y la cogía de la mano alejándola de los ojos, de aquella voz que suplicaba no sabía qué, y de los brazos que se alargaban en un gesto lastimero y doloroso, inútil mientras ellas corrían ya hacia la casa, y luego los sollozos en el cuarto de la madre, que ella escuchaba desde detrás de la puerta, muy quieta para no hacer ruido, sintiendo cómo el corazón se le encogía y apretaba en la garganta...

Tal vez entonces era cierto, y ese hombre, el de los ojos azules, el que vino aquella mañana a buscarla, cuando ella huyó de él, había amado a

Teresa de Montespin... Sí, quizá desde siempre, desde que eran niños y jugaban juntos en los jardines, y él le daba la mano por ayudarla a sortear las dificultades y recogía para ella las frutas más dulces de los árboles... Siempre la quiso, en silencio, mientras crecía y a su alrededor sonreían otras muchachas, intentando que él las mirase con sus hermosos ojos azules, que su mano las sostuviera en las flaquezas y les ofreciera los más ricos frutos... Pero un corazón noble sólo ama una vez, por entero, entregando para siempre toda la ternura y el deseo y la piedad. Él esperaba, aguardaba el momento en que aquel otro corazón solitario, triste, anhelante de desconocidas ternuras, descubriese al amigo hasta entonces silencioso por el pudor y la paciencia. Sin embargo, la vida juega a menudo malas pasadas, engaña los sentidos, hace quiebros al tiempo, desbarata las oportunidades, pone trampas al sentimiento, que cree acertar, cree haber llegado en el momento justo, cree ser infalible cuando sólo es frágil, desconcertado, inoportuno... Y él se fue, tuvo que irse lejos, y aún calló, seguro de su sino, confundiendo lo propio con lo ajeno, y ella, Teresa de Tréville, entró una noche en casa de Hugo de Montespin, y se quedó allí por siempre, enclaustrada en aquella cárcel de amor equivocado, de amor herido, cerrado sobre sí mismo como un capullo que no ha podido crecer por falta de sustento, de aliento del amor otro, del amor amado y cercano un instante, que deslumbró y engañó, que fingió acercarse para fundirse y engrandecerse y se alejó luego, burlón, orgulloso, altivo, saboreando el derrumbe del amor ajeno, el deterioro del capullo pronto comido de gusanos... Tal vez lloró Teresa —como ella había tenido que llorar—, por la irrefrenable falta de juicio de su débil corazón equivocado, que la hizo amar a quien no la amaba y desdeñar a quien hubiera sido capaz de encerrar los rayos de la luna en una cesta por hacerla a ella feliz... Y él volvió, regresó del largo viaje, sus ojos se entrecerraron de llanto cuando divisó desde el barco las costas blancas donde ella debía de estar esperándole. Y luego, al saberla amante de otro, al descubrir su estúpida inocencia, la cruel soledad de su pasión, quiso morir de pena, y vino aquí, a Belbec, por verla, por decirle lo que nunca le había dicho, lo que hubiera debido contarle cuando su corazón era aún solitario, que la amaba, que todavía estaba dispuesto a darle la mano como antes, que treparía a la montaña más alta, y descendería al fondo más oscuro de los océanos, y rompería todos los hilos que le ataban al mundo si ella aceptaba su amor... Pero madame de Montespin no podía mandar sobre su anhelo prisionero. Y los dos languidecieron en aquella desdichada vida de desencuentros, de burlas del tiempo y del sentimiento. Y luego, cuando ella murió y él supo del abandono de su cuerpo adorado en aquella tumba oscura y sola, quiso dejar por siempre allí el rastro de su pasión malgastada... Sí, Teresa de Montespin había amado, con un amor solitario, desesperado, malherido de muerte. Y de la misma manera, en justa correspondencia, había sido amada. Sin esperanza.

Mariana sonrió entre las lágrimas, recordando la figura menuda de su madre, sintiendo el inmenso consuelo de saber que su vida no había sido estéril y vacía, que había dejado tras ella aquella estela, recuerdos en la memoria de alguien de momentos nunca vividos, ansias en sus entrañas de abrazos siempre frustrados... Se alegró ahora de que monsieur de Montespin no estuviera enterrado junto a ella, que descansara por siempre lejos de aquellos restos aún doloridos de su traición, en la tierra ardiente y distante de Cuba, adonde llegó desde Nueva York —alguien debía de haberle dicho que los cuerpos de las mulatas eran puro gozo—, y donde enfermó de algún triste mal del sexo, justo castigo por sus muchos pecados, pensó Mariana, extrañamente impía, cuando recibió la carta de la monja. Un alma caritativa lo había llevado a aquel asilo desde donde le escribían, cubierto de llagas y pústulas, convulso de las fiebres que lo volvieron loco, adelantándole los tormentos del infierno adonde un Dios justo, sin duda, debía de haberlo condenado... Sus últimos días fueron un largo espasmo, un interminable gemido —y Mariana recordaba los instantes feroces del placer—, una espectral procesión de mujeres cuyos nombres repetía sin cesar, entre súplicas de perdón que ponían a quien lo escuchaba los pelos de punta, todas las mujeres que lo habían amado y de las que él se burló, engañándolas, mintiéndoles sin mentir con sus falsas ternuras y sus suspiros fingidos, haciendo que se les arrebatara la carne débil y se les quedase el alma enganchada en aquel placer que nunca había sido semejante, abandonándolas luego, dejándolas rotas, solas, envueltas en el luto y la culpa de saberse indignas de él, todas juntas ahora para castigarle y condenarle antes de la condena eterna... Monsieur de Montespin murió gritando el nombre de su hija, repitiendo una frase tal vez absurda para todos: «¡Tu madre estaba dentro...! ¡Perdóname! ¡Fue por tu madre, que estaba dentro...!»

Mariana no lloró al leer la carta, no sintió ninguna compasión de aquel hombre que tanto daño había querido hacerle, que había tratado de envenenar su matrimonio escribiéndole cosas muy dulces en papeles perfumados, cartas en las que hablaba de la oscuridad y de la muerte, y del consuelo y del amor, y también de la piel suave, y las anchas caderas, y los senos poderosos, cartas sucias que Mariana acabó por negarse a leer, rompiéndolas apenas llegaban, pero que le dejaban el olor a madera y a sándalo metido por dentro durante horas, larguísimas horas de insomnio en una cama vacía, mientras la muerte se burlaba a su lado...

Pero el día en que se cumplía el año exacto de su fallecimiento, al verse de pronto en la iglesia, fingiendo que rezaba en medio de toda aquella gente encopetada a la que Felicia, eficaz y generosa como siempre, había logrado reunir para celebrar el funeral nunca realizado, sintió de pronto como una blandura, un desfallecimiento súbito, y se le olvidó el rencor: en la puerta había tenido que saludar a todos esos hombres que un día habían envidiado a su padre, y que aún hablaban de él en el mismo tono solemne e íntimo a la vez con el que se recuerda al héroe caído en la batalla. Y había besado a las mujeres, vestidas para la ocasión con sus mejores trajes, disimulando la flacidez y las deformidades, escondiendo bajo los velos oscuros de los sombreros los rostros ajados que un día él admiró, y deseó y acarició con mimo... Pero ahora no eran más que un montón de mujeres tristes, a las que nadie miraba ya sino con cierto desprecio, cuyas historias nadie quería escuchar, salvo ellas mismas, que se las contaban una y otra vez, a solas, lejos de los espejos malditos que restregaban por los ojos la crueldad del tiempo y de la vida, el inexorable destrozo, la pérdida absoluta del poder, del pequeño poder que les había dado un día la tersura de la piel, la picardía de la mirada, la altivez deslumbrante de los cuerpos ahora arrumbados... Mariana tuvo lástima, una piedad temblorosa y caliente de ellas y de sí misma. Y se dolió del padre, que también se había vuelto viejo al final, y solo, y abandonado...

En ese momento empezó a pensar en el traslado de sus restos a Belbec, para que descansasen junto a los de madame de Montespin, quien desde el más allá agradecería sin duda la eterna y al fin fiel compañía de su amado. Habló con los encargados del despacho, y dispuso que se escribiera a Cuba, que se indagase sobre el lugar exacto de la tumba, y que alguien viajara allí, con los permisos necesarios, para traer a monsieur de Montespin al lugar donde debía estar.

Y entonces llegaron el fuego y la muerte. Enloquecieron los hombres, y saltó por los aires el jinete sobre el caballo rojo, teñida de sangre la espada, manaron sangre los ríos, se empapó de sangre la tierra, el mar sólo fue una mancha de sangre viscosa y maloliente, y lloró sangre la luna, y el

cielo se hizo negro y rojo de espanto y de sangre...
Entonces llegó la Guerra.

Durante años se había hablado de ella. En los salones, los hombres hacían corrillos cuchicheando de cosas graves —amenazas y pruebas, abusos y debilidades—, y pronunciando con énfasis palabras grandes: Patria, Revancha, Comercio, Intereses, Tratados, Ententes... Las damas, entretanto, se estremecían de excitación, imaginando peligros inciertos, que ellas afrontarían con valentía, soledades que se convertirían en rápidas e inolvidables aventuras, perpetuos desfiles de hombres victoriosos, que regresarían a casa embellecidos por el riesgo y la dureza, ansiosos de placer y disfrute, y a los que ellas recibirían como a héroes, deslumbradas, rendidas a sus pies, dispuestas a todas las ternuras y los excesos...

Aquel 28 de junio de 1914, cuando se supo que el heredero del Imperio de Austria-Hungría había muerto en Sarajevo, a manos de terroristas serbios, muchos se lanzaron a las calles, presintiendo que ésa sería la mecha definitiva que encendería el inmenso fuego, y clamaban a gritos el fin de Alemania y de su cómplice austríaco, enredando las manos en tripas imaginarias de futuros enemigos, que morderían el polvo de Europa y se arrastrarían pidiendo clemencia ante Francia, Gran Bretaña y Rusia, liberadoras de yugos de déspotas, de invasores de tierras forasteras, de metomentodos en asuntos ajenos...

En París avanzaba el calor, y nadie parecía decidirse a iniciar las vacaciones. Incluso los que ya habían partido regresaron de pronto de las costas, ansiosos de noticias y sucesos. Los corros de los salones se hicieron más densos, y en ellos se susurraba ahora, para luego alzar las voces de pronto, en súbitos arrebatos de furor, y volver a murmurar secretos de estado, movimientos estratégicos de los ejércitos, precavidas o arriesgadas operaciones financieras... Entre las señoras cundió la palidez, y hasta pareció que se hubiesen puesto de acuerdo para adelantarse a la imprescindible sobriedad de los tiempos venideros, simplificando las ropas, menos brillantes y adornadas, y los sombreros, que menguaron de pronto de tamaño, y el ornato de las joyas, que desaparecieron en cajas fuertes y oscuros e inalcanzables refugios, en previsión de saqueos y atrocidades.

A mediados de julio, cuando la guerra parecía ya inevitable, Mariana recibió una nota de su marido —a punto de partir hacia algún lugar de la frontera con Alemania—, invitándola a encontrarse en las Acacias, para despedirse. Hacía tiempo que no se veían a solas, y aquel encuentro le producía tal inquietud, que pensó pedirle a Felicia que la acompañase. Pero después empezó a pensar que un hombre que desea decir adiós a su esposa, antes de marchar a una guerra segura, donde quizá le espera la muerte, ansía tal vez dar prueba del cariño que nunca mostró, pedir perdón por las humillaciones del pasado, admitir los errores, planear un futuro para el regreso, juntos y queriéndose... Se sintió nerviosa y llena de esperanza, como una jovencita que acude al encuentro donde tal vez le sea prometido amor eterno, perenne matrimonio, y trató de estar hermosa para él, de arreglarse con el cuidado de otro tiempo: se puso uno de los vestidos que Marcel habría elegido en el pasado, cuando decidía y opinaba sobre cada uno de sus gestos, ropa sobria y cerrada. —«Me repugnan esas mujeres que creen exhibir como bellezas lo que no es más que necesidad, órganos imprescindibles para su función maternal», solía decir, mostrando su desprecio por los escotes—, y se hizo un moño bajo y tirante, pues así le gustaba a él que se recogiera el cabello. Y se fue a las Acacias a media tarde, sola, temblándole las piernas como a un cervatillo recién nacido... Pero Marcel se limitó a saludarla sin sonrisas, sin hacer ningún comentario sobre su aspecto:

—¿Qué tal estás?

—Muy bien, gracias. ¿Y tú?

—Bien, bien...

El aire de la guerra parecía favorecer a su marido. A pesar de la gravedad del rostro, se le había puesto en la mirada un brillo de excitación, y Mariana lo vio más joven, como aureolado por la perspectiva de las futuras batallas, del sonido cercano de los fusiles y las bombas, de la lucha de los pies contra el barro y las rocas, del sudor de los caballos y los hombres, y los gritos de fuerza y victoria, y los aullidos del enemigo, y las columnas de humo, y el ondear de las banderas en el territorio conquistado, sobre los muertos ajenos, de todo aquel heroísmo y esfuerzo y honor con el que había soñado durante años, mientras hablaba de recuperar las tierras robadas por el zorro en la última guerra, tan lejana que ya nadie recordaba el dolor y los muertos, sólo la humillación de la derrota, la imagen del rey prusiano convirtiéndose en emperador de los alemanes allí, en su propio país abatido, el gesto de triunfo con el que había establecido las fronteras que ahora estallarían en mil pedazos, borrando de la superficie de la tierra aquel gran poder impío y ladrón.

—Dentro de algunas semanas estaremos en guerra. Es seguro. Sólo esperamos el movimiento de Austria para lanzarnos contra ellos y despedazarlos.

La voz sonaba como un clarín victorioso, como un redoble enérgico de tambor, y la boca se estiraba hacia un lado, en aquel amago de sonrisa que tanto le había gustado siempre a Mariana, quien no supo si su grito fue de deseo o de angustia.

—¡Dios mío...! ¡Qué terrible...!

Marcel seguía hablando, excitado, condecorado ya en su imaginación con cien medallas que llevaría sobre el pecho igual que cien soles que iluminando la patria, perdida sin él.

—Será una guerra corta. Sólo unas semanas, quizá algunos meses, y habremos aplastado al dragón. La próxima Navidad va a ser inolvidable en la historia de Francia...

Y siguió hablando de batallas, estrategias, armamentos, aliados, políticas, frentes... Mariana se sentía empequeñecer, notaba cómo se le encogía el estómago y se le apretaba algo en el cráneo, la vieja diadema de hierro retorciendo sus huesos. ¿Era de eso de lo que quería hablarle, de la guerra, del triunfo...? Creyó que no iba a ser capaz de soportar el dolor de cabeza. Las ojeras azules se le oscurecieron: ni una palabra sobre ellos, ni un gesto de afecto, ni una leve muestra de arrepentimiento... Una vez más, había esperado en vano.

Marcel miró de pronto el reloj.

—Debo irme. Me esperan en el Ministerio.

Mariana movió la cabeza, incapaz de hablar: no saldrían palabras de su boca, sino piedras de dolor, y cataratas de súplica, y cenizas de miedo...

De repente, el rostro de su marido se endureció.

—Si me ocurriese algo, todo está arreglado. He hecho testamento. La mitad es para ti. La otra mitad, para el ejército, ya que no hay nadie más...

Mariana cerró los ojos, llenos ahora de lágrimas. No vio cómo él se levantaba, le besaba la mano y se cuadraba ante ella. Y cómo desaparecía después entre los árboles, con la rabia todavía en el corazón.

Las siguientes semanas las vivió sin enterarse apenas de lo que ocurría a su alrededor, como si le hubiesen dado un golpe muy fuerte en la cabeza, y las cosas y los ruidos le llegasen lejanos, borrosos, apenas perceptibles: gente corriendo y gritando por las calles, desfiles de soldados entre lágrimas y vítores, entusiasmo y miedo, y el dolor de los primeros muertos, de las primeras derrotas, el pánico después, cuando se supo que los alemanes se acercaban a París desde el Norte... A Mariana le parecía como si todo aquello no tuviese nada que ver con ella, como si estuviera ocurriendo en algún país lejano del que sólo percibía los ecos, un vago rumor, y nunca hubiera conocido a ninguno de los generales cuyos nombres vibraban en las bocas de todos, o al hijo de la cocinera, que murió en los primeros combates, y al que le parecía no recordar, como si jamás hubiera estado allí, en su propia casa, entre los humos y el ruido de los pucheros. Ni siquiera se sintió conmovida cuando supo que la tía Mercedes se había suicidado, abriéndose las venas en la bañera, porque Alejandro Magno, durante el sueño, así se lo había sugerido: «Todos moriréis —le dijo—. El mundo no será más que ceniza y desierto... A las mujeres os rajarán el vientre para sacaros a los hijos del demonio, que depositará en vosotras su simiente, bajo las bombas. Pero yo te salvaré. Te he elegido, pues eres mi favorita entre los vivos. Ven ahora a mi lado, y no habrá dolor.» Mercedes se levantó de la cama, fue a la habitación de su esposo y le repitió las palabras. Él, acostumbrado ya a los excesos de su espíritu, fingió que la escuchaba, musitó la frase de siempre —«sí, sí, muy bien, no te preocupes... Luego hablaremos de eso»—, y se volvió a dormir, pensando en los consejos que el ministro de Finanzas le había dado aquella misma tarde respecto a su fortuna. Por la mañana, la doncella que solía llevarle el desayuno la encontró muerta.

Mariana asistió al funeral, besó a Adrien, quien lloraba inconsolable, roído por la culpa de no haberle prestado atención. Abrazó a sus primas —que intentaban disimular el alivio que les producía la desaparición de aquella madre de la que siempre se habían avergonzado, y a la que en el fondo de sí mismas culpaban de sus matrimonios tardíos y poco relevantes—, y a la tía Alicia, que sollozaba como una niña pequeña, pensando en su propia muerte, quizá ya inexorablemente cercana. Recibió condolencias, e hizo como que rezaba, y hasta muchos creyeron que estaba realmente afectada, pues al levantar el velo negro que le cubría el rostro, brilló a la luz del sol del verano una blancura de muerte, y una cosa oscura en la mirada, como una sombra profunda y pesada, que provocaba escalofríos...

Mariana la sentía allí, dentro de sí, la sombra de la torre de la iglesia, pesándole en el pecho... Quería ir a Belbec y pasearse bajo los árboles, sentarse en el viejo sillón del salón, contemplar el mar verde y los blancos acantilados de la playa, recordar las historias de los antepasados y adormecerse bajo la torre, en aquel frescor húmedo y blanco de la infancia que la libraría del calor de París, del ruidoso fuego de la guerra, de su propia desazón... Y sobre todo, quería encontrarse con su madre, rastrear las huellas de su perfume en los corredores, como cuando era niña, entrever su silueta al otro lado de los cristales, rezar junto a aquella tumba de la que había estado huyendo durante años... Ansiaba pedirle perdón por haber amado a su esposo, y por no haber tenido compasión de él, y, al mismo tiempo, quería darle las gracias por haberla obligado a amarlo, y librarla así de la infinita soledad de Belbec, junto a la muerte... De pronto, todo aquello de lo que había tenido miedo desde entonces le parecía necesario, como si precisase volver a aquel punto, al momento en que se puso enferma del olor de la ropa y el ruido de la losa, en que deseó morirse y descansar junto a ella, en que se asustó de la presencia de la muerte a su lado, durante la noche, y se enredó en aquel cuerpo, el del padre, al que sólo debía haber respetado, y se le metió la sombra por dentro, sí, tenía que volver a ese justo instante, cuando comenzaron la soledad y el dolor, para seguir viviendo...

A finales de agosto, en cuanto se supo que, de seguir avanzando los alemanes, el gobierno abandonaría la capital para instalarse lejos del peligro, en Burdeos, Felicia acudió presurosa a casa de Mariana:

—Tenemos que tomar una decisión. Todo el mundo va a irse.

—Sí, también yo quiero salir de París.

—Muchos se van al Sur, por estar más seguros, más lejos del peligro y más cerca del poder. ¿Tú has pensado qué deseas hacer, Mariana?

Felicia hizo la pregunta por costumbre, por cortesía, suponiendo que, igual que siempre, su amiga se pondría en sus manos, dejando que ella pensara y decidiera por las dos. «Lo que tú digas», habría de ser la respuesta. Pero por una vez, Mariana deseaba algo con tanta intensidad, que estaba decidida a expresarlo:

—Quiero ir a Belbec.

Tuvo miedo de que Felicia no la comprendiera, e insistió, suplicante:

—¡Tengo que ir a Belbec! Siento una cosa dentro, como una pena muy grande, y sé que sólo se me pasará allí. Es como si mi madre estuviera enfadada conmigo, como si no me perdonase que no haya ido a verla en tanto tiempo...

Felicia se rió, a pesar de aquellas palabras:

—Es curioso: no hace falta que hablemos. Siempre estamos de acuerdo en todo... Te iba a proponer que nos fuéramos a Trouville. No seremos las únicas, ¿sabes? Parece como si los más viejos, y sobre todo las mujeres, prefiriesen estar lejos de Burdeos: la mayor parte de mis amigos, salvo los que tienen que tomar decisiones, han decidido quedarse en el Norte. Y desde Trouville, desde luego, podremos ir a Belbec cuando quieras...

Volvió a reírse, como si se burlase ahora de sí misma, de aquella mujer fatigada y sola que tenía que resignarse a formar parte del grupo de los envejecidos, de quienes buscaban la calma y el silencio en lugar del bullicio y la excitación que rodearían al Gobierno en el destierro.

Salieron de París en medio de una larga hilera de coches, repletos de mujeres bien protegidas contra el polvo, todas irreconocibles bajo las enormes gafas que les cubrían el rostro, tapados con guardapolvos los trajes hermosos y frescos, que lucirían en las paradas de descanso. Los hombres eran escasos, salvo algunos viejos y los conductores, hombres mayores también, que aún no habían sido movilizados, y cuyos salarios, en aquella fuga, habían crecido de manera desorbitada. «¡Nos cuesta una fortuna irnos de aquí!», era la frase más repetida los días anteriores, mientras todos preparaban baúles y maletas de doble fondo, donde viajarían algunos de los tesoros de la familia. Los coches se movían lentamente, haciendo sonar las bocinas, lanzando imprecaciones los chóferes, entre una multitud de ancianos, mujeres y niños, que trataban de buscar refugio en la aldea natal, o en algún pueblecito alejado de París. Cargaban con hatillos y paquetes, bultos pesados bajo los cuales el camino se hacía interminable, y muchos acababan deshaciéndose entre lágrimas de sus escasas propiedades, que se amontonaban en las cunetas, estercoleros ahora de un pasado lleno de esfuerzos y sufrimientos, abandonado por siempre allí. Algunos, exhaustos, rabiosos de la injusticia, se revolvían como fieras acosadas contra los automóviles de lujo, desbordados de equipajes de piel y grandes cestas de víveres, o pedían ayuda, suplicando algunas horas de reposo, un poco de alivio para los cuerpos agotados del esfuerzo y la edad... Pero nadie se detenía: los alemanes estaban a sólo treinta kilómetros de París, cerca de Senlis. Desde algunos barrios de la capital se oía ya el ruido de su artillería, y la cosa no era como para perder el tiempo. Por otra parte, ¿quién podía fiarse de semejante chusma? Era probable que el anciano enfermo o la mujer embarazada no fuesen más que farsantes, que en un recodo del camino se volverían contra sus bienhechores para robarles y tal vez, incluso, asesinarlos... No, en tiempos de peligro, no convenía arriesgar la vida por desconocidos.

En Trouville, los refugiados de la capital organizaron una existencia que en todo se parecía a la del pasado. Baños, paseos, tés y bailes llenaban las horas de espera. Sólo la ausencia de hombres jóvenes, partidos al frente, y los temas de conversación, siempre en torno a la guerra, recordaban la peligrosa excepcionalidad de aquel tardío veraneo. Pero los ejércitos aliados habían conseguido alejar a los alemanes de París, y la victoria final estaba sin duda próxima: sólo serían algunas semanas de inquietud, y la patria se alzaría de nuevo, luminosa, sobre las ruinas del enemigo.

De vez en cuando, en las largas tardes apacibles, alguien llegaba de pronto al salón de un hotel o al jardín de un palacete, y al verle el rostro pálido y compungido, todos adivinaban la noticia: otro esposo, otro hijo o sobrino de alguna de las familias amigas había caído en el frente. Por unos instantes, se recordaba la última broma, el postrer gesto de cariño, el profundo amor de la madre que había perdido lo más querido, y el duelo y la piedad se adueñaban del aire, enmudeciendo las gargantas, agachando las cabezas, retorciendo las manos... Pero el necesario olvido llegaba pronto, y la vida seguía igual, con su orden de actividades y encuentros, en los que sin embargo, cada vez había más ausentes, condenados al llanto en soledad, más hombres y mujeres vestidos de negro, con el luto en la ropa y en el corazón.

Las primeras semanas, Felicia no quiso desplazarse a Belbec. La situación era demasiado peligrosa, decía, y si los alemanes seguían avanzando, tal vez se encontrarían con caminos cortados y riesgos insuperables. Pero a finales de setiembre, más serenos y esperanzados los ánimos, se resignó al fin a aquel corto viaje, con la única condición de no permanecer en la casa más que algunas horas y, desde luego, no dormir allí: «No quiero encontrarme con fantasmas —decía—; siempre me han dado mucho miedo. Y tampoco creo que sea bueno para ti entregarte ahora a la nostalgia de lo que ya pasó y nunca volverá...»

Mariana no habló en todo el trayecto, sintiendo cómo le rebullían por dentro los recuerdos. Al llegar al bosque de Tréy, el cielo pareció ennegrecerse de repente, y una lluvia cerrada comenzó a caer sobre la tierra, que olía como entonces, y le entraron ganas de revolcarse en ella... En seguida, bajo las nubes oscuras, difuminado por el agua y los jirones de niebla, apareció Belbec, la aldea con sus casuchas todavía miserables, y la torre de la iglesia enfrentándose al cielo bajo, y a su lado el tejado salpicado de chimeneas, y los grandes árboles, y la fachada ocre, con todas sus contraventanas abiertas, exactamente igual que antes, como si el tiempo se hubiera parado, negándose a arruinar aquella casa donde tantas vidas habían florecido, amando y sufriendo, y se habían agostado después en el inevitable camino hacia el crepúsculo y la noche. Amos y criados, recatadas damas, doncellas soñadoras, lacayos ardientes, señores poderosos, todos habían vivido y muerto, y sus vidas se habían quedado allí, recluidas entre los muros de piedra, enredadas en las ramas que chocaban contra las ventanas, durante el temporal, fundidas con los poros de las maderas, disueltas entre las pinceladas de pinturas que las retrataban, un momento, un solo instante de aquellas existencias que se negaban a abandonar el lugar, enganchándose a la vida y a los recuerdos... Mariana oyó de pronto las voces, todas las voces que suplicaban, seducían, ordenaban, gemían, chillaban, y entró allí —sin mirar siquiera a las criadas jóvenes y desconocidas que acudieron corriendo a la puerta, por saludar a la señora—, caminando entre una muchedumbre de seres de ultratumba que habían atravesado la frontera de los mundos, aquella mañana, para acoger a la mujer que regresaba en busca de sí misma, en busca de todos ellos, que formaban parte de su propia vida igual que sus manos, o su corazón, emborrachado de amor en esos momentos.

# VIII

MARIANA BUSCÓ EL ANILLO por todas partes. Primero en su cuarto, deshaciendo la cama, volcando los cajones de las mesillas, moviendo los muebles, sacando una a una las ropas de los armarios y las cómodas. Después, por toda la casa. Durante dos días, los criados se dedicaron sólo a esa tarea, y aquello parecía un refugio de locos entregados a la absurda labor de despancijar muebles una y otra vez, buscar y volver a buscar entre decenas de objetos esparcidos por el suelo, levantar alfombras que se arrollaban luego en un rincón, para desenrollarlas al cabo de un rato... Y entre todos ellos, Mariana, sucia de polvo, desesperada, arrastrándose a cuatro patas por los suelos, dando órdenes contradictorias, negándose a aceptar la desaparición... Al fin, al segundo día de aquel frenesí enloquecido —la noche antes de la visita del general Des Forges—, cuando toda la casa había sido desmontada y revisada varias veces, Mariana pareció resignarse: al atardecer empezaron a sonar las bombas de los *Gran Berta*, que los alemanes lanzaban desde el Marne, justamente donde estaba Marcel, todavía

161

enredado como todos los que aún sobrevivían en aquella horrible guerra, igual a una blasfemia. Con ese ruido de muerte que sembraba en los corazones el miedo de la suerte propia y la piedad de la ajena, ella de pronto aceptó que no quedaba ninguna esperanza, y comenzó a sollozar en un rincón, acurrucada, indefensa, completamente perdida en medio del batiburrillo de muebles y objetos, y de los estallidos de las bombas, que parecían sonar dentro de su propia cabeza, sin perdón: el anillo había desaparecido.

En los primeros años de su matrimonio, no se lo había quitado jamás. Aquél era el símbolo de su dicha. Cada vez que lo veía brillar en su dedo, la piedrecita traslúcida y luminosa como una gota de agua limpia bajo el sol era para ella un recordatorio de la felicidad, un destello de gloria, la confirmación de su vida serena y gozosa. El anillo se había amoldado a su mano, aun más, había ido transformándose poco a poco en una parte de ella, un trozo de su cuerpo, del que ya nunca podría prescindir. Después, cuando Marcel se fue, se convirtió en el testimonio doloroso de lo que había perdido. A veces se quedaba largo rato contemplándolo, y sentía entonces, al recordar el pasado, que le desaparecía la fuerza para seguir viviendo, como si el mineral hubiera tenido antes el poder de concedérsela, de transmitirle energía desde el diminuto centro azulado, y lo tuviera ahora para arrebatársela y dejarla inerte. Se sentía, una vez más, exhausta, acobardada, al borde mismo de la agonía... Igual que cuando su madre murió, igual que cuando la dejó su padre, sola y desesperada, como el perro al que el amo abandona en medio del campo, atado a un árbol, y enloquece de angustia y de culpa, y olfatea en vano el aire asfixiante, aúlla al cielo negro, arrastra el cuerpo humillado sobre la tierra gélida, y muere al fin estrangulado en su propia correa, tratando de liberarse por correr a lamer los pies que lo pisotearon, las manos que golpearon su lomo, el corazón que renegó de su fervor...

Pero antes de eso, durante algún tiempo, mientras creyó que él la amaba y estaría siempre a su lado, Mariana se había tenido por la mujer más afortunada de la tierra. Le gustaba imaginarse como un barco que hubiera estado bogando entre la niebla, sacudido por los huracanes en medio de un mar inmenso y terrible, y hubiese entrado de pronto en un puerto resguardado y radiante, acogiéndose allí para el resto de sus días. Cada noche rezaba dando gracias a Dios por haberla hecho amar y ser amada de aquel hombre poderoso y recto, que jamás la traicionaría.

Nada más casarse se instalaron en el hermoso piso de la avenida Hoche. Habían tenido una reunión de familia para decidir dónde debían vivir. Los duques de Camaran, su hijo y su futura nuera formaban una estampa de pletórica salud y perfecto entendimiento alrededor del té humeante, en el hermoso *boudoir* de la duquesa, decorado con porcelanas chinescas, cuya delicadeza parecía ridícula en presencia de aquella mujer soberbia y angulosa. A monsieur de Camaran padre no le interesaba nada el asunto. Lo único que pedía era que no se le quedase el matrimonio en casa: estaba dispuesto a ser un abuelo cariñoso cuando llegaran los nietos, pero la presencia de niños en el palacio rompería la atmósfera de paz y silencio que necesitaba para escribir sus poemas. Aunque, a decir verdad, sólo lo pedía para sus adentros: jamás se hubiese atrevido a expresar en voz alta una opinión que pudiera ser contraria a la de su esposa, y tener que soportar durante días las terribles venganzas de Lucie, que se dedicaba a dar portazos a su alrededor, entrar en su despacho seguida de un ejército de criados a los que daba órdenes precisas para realizar interminables limpiezas a fondo, o de una corte de amigas ruidosas y charlatanas, que admiraban con grititos los hermosos volúmenes encuadernados en piel, y hasta se atrevían a veces a pedirle que recitase en voz alta, para ellas, alguno de sus larguísimos poemas, que escuchaban entonces entre gestos mudos, suspiros y ayes, para luego aplaudirle, rodearle, y manifestar su admiración con interminables exclamaciones. No es que a Alexandre de Camaran no le gustasen semejantes muestras de entusiasmo: en realidad, aquella emoción que sacudía el alma de sus oyentes, el éxtasis de sentimientos en el que se arrobaban, eran para él la prueba irrefutable de que su esfuerzo merecía la pena, y que la posteridad habría de dorar su nombre —igual que él lo doraba en sus volúmenes— y lo rodearía de laureles, haciéndole sitio entre los grandes. Pero cada cosa tenía su tiempo, y él reservaba las noches para el ocio y la vanidad. Cuando los aplausos llegaban, en cambio, a media tarde, justo a la hora en que las musas solían visitarlo, sentía una profunda desazón. Alexandre de Camaran sabía que el artista tiene que luchar contra diversas tentaciones: la pasión erótica, la mundanidad y el cultivo del orgullo eran para él otras tantas murallas que se alzaban en el camino del genio hacia la gloria. Y estaba dispuesto a franquearlas sin tropezones. Le torturaba imaginarse a sí mismo el día de su muerte, arrepintiéndose de no haber escrito más y mejor por haberse abandonado al feroz deseo y al amor extenuante, a los encuentros largos e insustanciales con la sociedad, o a los aplausos complacientes y a destiempo. Su vida estaba organizada, en honor de la poesía, como la de un estudiante pensionista, en horarios rígidos a los que se sometía con voluntad de hierro. Enfrentarse a su esposa significaba desorganizar durante largas e irrecuperables jornadas su existencia, y ahora, ya en la vejez, pensando en el poco tiempo que le quedaba para entregarse a su talento, estaba menos dispuesto a ello que nunca. De manera que jamás daba ninguna opinión antes de conocer la de su esposa, por si acaso. Y así, sólo respiró tranquilo cuando ella inició la conversación:

—Ya sabes, Marcel, que esta casa será tuya después de nuestra muerte. —Lucie de Camaran hablaba siempre dirigiéndose solamente a su hijo, como si Mariana no existiera, aunque se refiriese a asuntos que concernían al futuro matrimonio—. Sin embargo, creo que por el momento deberías tener tu propia casa. Será más cómodo para ti, más fácil para adaptarte a tu vida de casado. En el futuro, dentro de algunos años, podremos volver a pensar en la cuestión.

Madame de Camaran había decidido que no quería vivir con su nuera. La consideraba una buena esposa para su hijo: dócil, sumisa y entregada, alguien con quien jamás habría que discutir, de quien nunca sería preciso desconfiar. Todo un hallazgo. Pero sentía una profunda antipatía por ella, y no estaba dispuesta a compartir su vida con aquella muchachita torpe, a la que tendría que corregir sin cesar, y disculpar ante los otros por sus continuas necedades. Cuanto más lejos estuviese, pensaba, mejor sería.

Marcel opinaba lo mismo, aunque por diferentes razones: temía el influjo de su madre sobre Mariana. Él adoraba y admiraba a Lucie de Camaran, cuyo carácter autoritario le había servido de ejemplo en la vida. Y precisamente por eso, no quería una mujer a su lado tomando decisiones. Sobre su existencia y la de su esposa —y la de los hijos venideros— el único que mandaba era él. ¿Y quién podía asegurar que a Mariana, una vez casados, no le diese por convertirse en una imitadora de su suegra, como había ocurrido con tantas otras? Era preferible tener su propia casa y mantenerla lejos del ejemplo familiar.

—Estoy de acuerdo, madre. Creo que es lo más conveniente. De hecho, ya he visto un piso en la avenida Hoche que me ha gustado. Las habitaciones de los niños tienen una luz espléndida. ¿Querrá usted venir a visitarlo conmigo?

La duquesa de Camaran pareció sorprenderse:

—¿Un piso...? ¿Quieres vivir en un piso...? Los Fontenay venden su palacete. Yo había pensado que ése era el lugar indicado para ti.

Marcel cambió de postura en el sillón y torció la boca.

—No quiero un palacio. —También él hablaba siempre refiriéndose sólo a sí mismo—. No creo que Mariana esté preparada para dirigir una casa tan grande. Ya veremos más adelante.

Madame de Camaran miró con desprecio a la prometida de su hijo: Marcel tenía razón. ¿Cómo iba a ocuparse aquella muchachita pueblerina de gobernar a un ejército de criados, y organizar fiestas y convertir su hogar en un centro de reunión admirado...? Mariana sonreía, agradecida a Marcel por su deferencia. La duquesa se sintió orgullosa de él, y se irguió en el sillón, alargando el cuello, igual que una leona alza la cabeza al viento cuando el cachorro acosa a la presa.

—Sí, sí... Pensándolo bien, un piso es lo mejor en este momento. Mañana mismo, si quieres, iremos a verlo.

Para Mariana, la casa de la avenida Hoche había sido, en los primeros años de su matrimonio, como una madriguera. Un lugar sagrado, en el que se sentía protegida y segura. Salía muy poco. Al menos eso se comentaba en París. En lugar de pasear por el Bois, o acudir a la pista de hielo las mañanas de invierno, o sentarse a pasar la tarde en un salón de té, ante el velador lleno de tazas y dulces, repasando los comadreos del día, ella prefería quedarse en casa. Le gustaba estar allí, en aquella tibieza como de nido, silenciosa, despreocupada. Se pasaba las horas bordando y vigilando que todo estuviera como a su esposo le gustaba. Y esperando su regreso. Cuando cenaban juntos en casa, a Mariana le parecía que le salía un calor del alma, una ternura grande y temblorosa, igual que cuando era niña y su madre la llevaba de la mano hasta la playa de los cantos, en primavera, y se quedaban allí largo rato, sentadas juntas, en silencio, apoyando Mariana los brazos en las rodillas de madame de Montespin, mientras contemplaban una y otra vez las olas que rompían sobre las piedras, con su ruido de caracola, y el tiempo se quedaba parado, y el mundo entero cabía allí, en aquel trozo de cielo y de mar, en el blanco brillante del vestido de la madre, en su dulce sonrisa... Durante esos ratos a solas con su esposo, cuando los dos se sentaban primero en el salón, mientras caía el día, luego en el comedor, y de nuevo en el salón, para que Marcel fumase su gran cigarro, a ella le gustaba mirarlo, atenta al menor de sus gestos por si necesitaba algo, expectante de sus palabras, aquellas frases breves y rotundas con las que Marcel solía darle instrucciones sobre las cosas que debía hacer en los próximos días, y que ella escuchaba con profunda atención. Si había salido con Felicia —que seguía ejerciendo de amiga protectora y consejera—, le contaba lo que había hecho, y las cosas de las que había oído hablar, siempre para pedirle su opinión al respecto. Muchas veces, Marcel no contestaba, ajeno a sus palabras, perdido en sus propios pensamientos. Pero a ella no le importaba: su trabajo en el Ministerio de la Guerra era agotador. Tenía tantas cosas que decidir, tantos asuntos por resolver, y tan graves, que Mariana se apiadaba entonces de su cansancio, orgullosa de él, y se levantaba diligente para llenarle de nuevo la copa de coñac, acercarle un cenicero o atizar el fuego. En aquellos ratos a solas con su marido, le gustaba ocuparse personalmente de todo, y prescindía de los criados. No había para Mariana mayor placer que saberse útil a Marcel, aunque sólo fuese con esos pequeños gestos. Y cuando él le daba las gracias, cuando a veces le sonreía por un instante, torciendo la boca con el mismo gesto del tatarabuelo Michel de Tréville, Mariana sentía deseos de besarlo, de abrazarlo y mecerlo y susurrar en su oído la dicha de la vida a dos.

Luego, por la noche, acostados, creía tocar la gloria con las manos: él entraba dentro de su vientre, y se gozaba en ella, suya. Sí, Mariana era suya, como la sombra es propiedad del cuerpo, y unida a él indisolublemente nace y muere. Mariana pertenecía a Marcel, y le gustaba sentirse cosa a su lado, objeto suyo sobre el que él dejaba descansar la mano, sabiendo que ni una triza de su cuerpo o de su alma se rebelaría en su contra, entera propiedad de aquel hombre que era a la vez muralla y asilo, guarida y universo... El placer era en él algo inmediato, un rápido espasmo, una fría liberación necesaria, ajena a la ternura y al cuidado. Pero Mariana, olvidado el gozo nervioso del pasado, se le entregaba sintiéndose espuma, cresta de ola que lame la arena y alivia el ardor y restaña las heridas de la tempestad y el huracán, desvaneciéndose en su esfuerzo...

Algunas noches Marcel no venía a cenar ni a recogerla para salir juntos. Mariana sabía que estaba entonces con los amigos, militares que ansiaban como él, de vez en cuando, el encuentro masculino, sin protocolos ni normas. Ella lo esperaba en la cama, despierta, encendida la luz hasta que oía cerrarse la puerta. En ese instante apagaba y se embozaba bajo las sábanas, fingiéndose dormida para que él no pensase que lo estaba vigilando y que le molestaba su tardanza. Luego, cuando escuchaba su respiración pesada, y la inundaba el olor del alcohol y el tabaco, se abrazaba a él con cuidado y se dormía feliz, como una niña pequeña a la que el padre protege contra las pesadillas. Jamás se le hubiera ocurrido —y tenía razón en creerlo así— que su esposo pudiese pasar la noche en brazos de otra mujer. A veces, cuando salía con Felicia y sus amigas, escuchaba ciertos comentarios sobre las costumbres masculinas que la sorprendían. Un día, en las Acacias, la princesa de Morisel se puso a hablar de la infidelidad:

—Ningún hombre es fiel. ¡Ninguno! Los hombres llevan dentro de sí un ansia de infinito que sólo la guerra o las mujeres pueden colmar. Y una sola, desde luego, es poco para tamaño afán.

Las otras se reían, dándole la razón. Adrienne de Morisel, cuyo hermoso rostro estaba ahora tan arrugado que jamás se quitaba el velo, ni siquiera en la intimidad, siguió hablando, animada:

—Nosotras, en cambio, somos de otra manera: cualquier mujer, cualquiera, hasta la buscona más arrastrada de las calles, se conformaría con un esposo amante y cariñoso, y desearía serle fiel toda la vida.

Los rostros parecían teñirse ahora de nostalgia. La princesa alzó la voz:

—Así pues, queridas amigas, si les somos infieles es porque ellos nos obligan: nos hacen lanzarnos de brazos en brazos, buscando desesperadamente a aquel que pueda colmar nuestro anhelo siempre insatisfecho.

Resonaban las risas, burlando la melancolía...

Mariana quería hablar. Ansiaba explicarles que su marido no la engañaba, que ella había encontrado la dicha perfecta, el sueño anhelado... Miró a Felicia, buscando como siempre apoyo, pero su amiga fingió no verla: también ella estaba segura de que Marcel de Camaran era absolutamente fiel a su esposa. Sí, Mariana había tenido mucha suerte con ese marido incomparable. Sin embargo, era mejor no decir nada: las otras se reirían de su ingenuidad, y quién sabe si alguna de ellas no tendría la idea de robarle el corazón a aquella pobre inocente...

La única pena de Mariana, en los primeros tiempos de su matrimonio, era el despectivo y feroz rechazo de su suegra: hubiera dado años de su vida con tal de que madame de Camaran la contase entre el reducido círculo de sus íntimas, y la tratara con cariño. Sin embargo, apenas se veían. Sólo de vez en cuando, y siempre en compañía de Marcel, la invitaba a su casa para una comida familiar o un banquete. Algunos días coincidían también en otros lugares, en el teatro, en un salón, o en una fiesta. Pero la duquesa apenas le prestaba más atención que a cualquiera de las muchas mujeres a las que despreciaba —casi todas—, y de costumbre, cuando se dirigía a ella, era para reprocharle algo. Conocía perfectamente todas las intimidades de su casa, pues una de las doncellas, antigua sirviente suya, había sido colocada allí por ella con el evidente designio de espiar. Y así, madame de Camaran madre solía criticar en público a su nuera todos los errores y desmañas, que ella se apresuraba a corregir. Pero nada conseguía conmover a aquella mujer soberbia y poderosa como una cruel reina de la noche.

Y ella fue quien abrió la puerta del mal. Ocurrió algunos meses después de la boda, durante uno de los almuerzos familiares. Mariana nunca pudo olvidar aquel momento. Madame de Camaran no le había hablado en toda la comida. De pronto, a los postres, se volvió hacia ella y le preguntó:

—¿Estás embarazada?

Mariana miró a Marcel. Pensó que tal vez había en su cuerpo algún signo ostensible de gravidez, del que ella misma no se había dado cuenta. Se palpó el vientre, buscando una redondez quizá patente para los otros. Tardó tanto en contestar, que todos dejaron de comer durante algunos instantes, hasta que su suegra exclamó en tono victorioso:

—¡Estás embarazada!

Mariana respondió con un hilo de voz:

—Creo que no, pero tal vez...

Vio cómo Marcel torcía el gesto. La duquesa volvió a hablar, ahora con su voz más hiriente:

—Si lo estuvieras, lo sabrías. ¿O es que acaso ignoras lo que ocurre cuando se está embarazada...? ¿Nadie te ha explicado esas cosas...?

—Sí, sí, lo sé... Felicia...

—¡Ah! ¡Felicia...! Debo reconocer que a veces me alegro de que esa mujer sea amiga tuya. No sé qué sería si no de tu pobre esposo...

172

Y Lucie de Camaran miró con toda la piedad de que era capaz a su hijo, que le sonrió haciendo un gesto de resignación.

Aquella noche, Mariana tardó mucho en dormirse. Sentía algo en el vientre, como un revoloteo, una hinchazón, como si el seno aún inerte se le estuviera dilatando, pugnando por llenarse de vida... Ella quería tener hijos. Soñaba con acunar entre los brazos un pedacito de carne tierna y latiente, y verlo crecer, y prolongar su propia existencia en la de ellos, que la amarían por encima de todas las cosas, sin resquicios. Y ansiaba, sobre todo, hacer feliz a Marcel. Durante el noviazgo, él le había hablado a menudo de su deseo de tener al menos un heredero, un digno y valiente duque de Camaran, que habría de prolongar el honor de la familia en el futuro. Mariana sabía que ahora aquél era su principal cometido en la vida: dotar de cuerpo a la sangre de los Camaran, recoger el germen del esposo, y hacerlo crecer y fructificarse para la posteridad. Sin embargo, hasta aquel día no se había inquietado por la tardanza del primer embarazo. Ella se entregaba a Marcel, se abría para recibir su semilla, sintiendo que aquél era un acto sagrado, la eterna celebración del rito de la vida, la ceremonia imprescindible de la fertilidad. Pero siempre había creído que era preciso un tiempo, una cadencia exacta y rigurosa para que se cumpliera el sino. Ahora, aquella noche, después de lo ocurrido en la comida, Mariana empezó a pensar que tal vez el plazo se estuviera alargando en demasía, y fuese lógica la inquietud de su suegra... Se acarició el vientre, por darle calor. Marcel respiraba tranquilo a su lado. En la calle maulló una gata en celo, con un chillido espantoso de criatura abandonada... Se le llenaron los ojos de lágrimas, y se puso a rezar muy bajo, apretando las manos con fuerza, para que Dios le concediese pronto el hijo.

Desde aquel día, el embarazo se convirtió para Mariana en una obsesión. Se había informado de los síntomas que suelen acompañar la gravidez, aun antes de la primera falta, y cada mañana esperaba con inquietud sentir un vago mareo, alguna ligera náusea que diera pruebas del ansiado estado. A menudo se desnudaba delante del espejo, y contemplaba con codicia de amante su propio cuerpo, palpándose los senos y el vientre, buscando en vano la turgencia que debía evidenciar la buena nueva. Cada mes, cuando la sangre bajaba de nuevo, infecunda, sentía un hondo dolor, como si la vida le estuviese arrebatando aquel hijo que se deshacía en sus entrañas, y lloraba durante horas, sin consuelo. Después, en los días siguientes, tenía que soportar el encono de su suegra, informada de todo por la doncella, y en su espíritu crecía la angustia de la culpa, la vergüenza de su seno vacío, el temor al castigo de Dios, que tal vez quería así humillarla por los pecados del pasado, por los sueños que aún la sacudían a veces, cuando se le aparecía el padre abrazándola, y que la hacían vomitar después de asco y de arrepentimiento.

Marcel y ella no hablaban nunca del asunto. Él no decía nada, esperando, pero Mariana sabía que se estaba reconcomiendo por dentro.

Un día, cuando ya habían pasado tres años desde la boda, se atrevió por fin a consultar con

Felicia, quien la escuchó con piedad mientras le contaba sus angustias, y los sollozos le subían a la garganta, ahogándola. Ella intentó tranquilizarla:

—Seguramente no te ocurre nada. A veces las cosas son así, Mariana: hay mujeres que tardan mucho en concebir. ¡No eres la única! Puede pasar mucho tiempo hasta que de pronto un día tu vientre se sienta con fuerzas, y comience a hincharse. A mi madre le llevó diez años tenerme a mí. Quería una hija, y hacía todo lo posible para que llegase. Pero yo tardé mucho en decidirme por ella...

Y Felicia se reía, tratando de animar a su amiga, que seguía sumida en el llanto, aunque la escuchaba atentamente.

—¡No te angusties más, hazme caso! Quizá si se te pasa la angustia, el niño venga.

Pero a Mariana ya no le bastaban los consejos. Le pidió a Felicia que la acompañase a visitar al médico, sin decir nada a Marcel. Y consultó no a uno, sino a cuatro doctores. Todo estaba en orden, dijeron. No había ninguna razón para que una mujer joven y sana como ella no pudiera tener hijos. Llegarían. Y cada uno aconsejó ciertos remedios, para ayudar: tónicos revitalizadores, píldoras sedantes, y baños terapéuticos que sin duda facilitarían una pronta y dulce espera. Cuando estuvo segura de que todo andaba bien, Mariana resolvió decírselo a Marcel, por tranquilizarlo y darle ánimos, por hacerle saber que también aquél era su mayor deseo, y que pronto podría verse cumplido:

—Estuve en el médico esta tarde —le dijo una noche, después de la cena.

Marcel sintió encenderse una llama de esperanza en su corazón, pero no quiso hacerse ilusiones:

—¿Estás enferma? —preguntó por cortesía.

—No, no... Quería saber por qué razón no me quedo embarazada.

Mariana enrojeció de angustia y de esperanza. Marcel, nervioso ahora, dejó el cigarro en el cenicero. Pero ella sonreía.

—Todo está bien. No me ocurre nada...

Quería decirle que también otras mujeres tardaban muchos años en concebir, que los hijos llegarían, pero él se transformó de pronto, se le contrajo el rostro entero, enrojecido ahora, arrugado, terrible, y por primera y última vez en su vida, le gritó. Aulló, más bien, como un animal herido que se vuelve furibundo contra el agresor:

—¿Quiere eso decir que soy yo el culpable...?

—No, no, Marcel...

Pero ya no valía la pena seguir hablando: su marido se había ido, dejándola sola, con el vientre vacío y solo, y una tempestad de confusiones y miedo en la cabeza.

No regresó en varios días. Mariana supo que se había instalado en casa de su madre, porque mandó a recoger sus cosas. Ella se quedó en el piso, sollozando en silencio por los rincones, sentándose en los lugares donde él se sentaba, apoyando la cabeza en su almohada... No se atrevió a ir a buscarlo, ni siquiera a enviarle una nota pidiendo perdón, explicándole todo lo que no había podido decirle aquella noche espantosa. Al fin, fue Felicia quien intervino. Habló con Marcel, le contó los temores de Mariana, su anhelo de darle hijos, y lo tranquilizó repitiéndole el diagnóstico favorable de los médicos. Él regresó entonces a la casa, esperanzado de nuevo, y durante algún tiempo todo aparentó ser como al principio del matrimonio, pero Mariana sabía ahora que su frialdad era mayor, más hondo el silencio. También ella había cambiado: se le había quedado por dentro como una sacudida, un temor vago a otro estallido semejante. Aunque lo acalló diciéndose que así, tranquilos ya los dos, olvidadas las angustias, el hijo llegaría pronto...

Sin embargo, pasaron los meses, y su vientre seguía negándose a engendrar. A pesar de la opinión de los médicos, a pesar de las recetas, de las visitas secretas a sórdidas curanderas que aconsejaban hierbas que Mariana tenía que tomar a escondidas, en casa de Felicia, por miedo a sus propios criados, los niños no vinieron. Marcel seguía sin decir nada, pero poco a poco empezó a tratarla mal. Jamás le levantaba la voz. Se limitaba a reprenderla cuando estaban solos, con el mismo tono descarnado de su madre, y después se iba sin despedirse, salía a la calle en busca de compañía y consuelo, sin mirarla siquiera. Todo lo que ella hacía se le antojaba ahora insufrible. Aquello que antes consideraba virtudes le parecían de pronto faltas imperdonables, terribles defectos de una esposa inservible y necia. Si la veía callada, escuchando a los demás en silencio, como de costumbre, limitándose a sonreír cuando todos reían o a entristecerse si mostraban pesadumbre, al regresar a casa él le decía de pronto, con la voz hiriente como el golpe rápido de un látigo sobre un lomo sudoroso:

—Mírame a los ojos: te he repetido mil veces que no quiero que estés siempre callada. ¿O es que pretendes que te tomen por tonta?

Mariana se esforzaba entonces en imitar a las otras mujeres, trataba de parecer, igual que ellas, lánguida como un cisne, y alegre como un gorrión, y orgullosa como una gaviota que sobrevolase el mundo... Pero Marcel volvía a llamarle la atención:

—¿Te das cuenta de las estupideces que has dicho hoy? Si no sabes hablar con cierta inteligencia, es mejor que estés callada...

Y ella agachaba la cabeza, sumisa igual que un perro humillado ante el amo colérico, y se clavaba las uñas en la palma de la mano, por contenerse y no romper a llorar, y enfurecerlo.

Madame de Camaran, entretanto, dejó de hablarle. Ya ni siquiera se molestaba en decir ante ella frases hirientes sobre las mujeres que no tenían hijos, y eran como los árboles muertos, esqueletos resecos y endurecidos de los que los caminantes se alejaban igual que del demonio, pues hacían recaer el mal de ojo sobre quien se acercaba a ellos. Las puertas del palacio de los duques se cerraron para ella. Y cuando se encontraban en algún lugar, su suegra volvía la cabeza con ostentación y se negaba a saludar al pájaro de mal agüero que había traído la desgracia a la familia.

A los cinco años de matrimonio, una tarde fría y lluviosa, sin luz, Mariana vio llegar un gran carro cargado de enseres. Luego, los mozos transportaron hasta su casa muebles y retratos, todos los objetos que adornaban la habitación de soltero de Marcel en el palacio de los duques de Camaran. Los colocaron en uno de los cuartos de los niños nunca concebidos, y allí se instaló él a partir de aquel día, sin decirle una sola palabra, sin una explicación ni una queja al menos... Desde entonces, Mariana dejó de dormir. El miedo a la muerte volvía a atenazarla en las noches largas y llenas de ruidos, y también la espera: algunas veces, Marcel aparecía en su habitación, muy tarde, y la tomaba de prisa, con más ímpetu aún que en el pasado. Se metía en ella con rabia, y le hacía daño, le retorcía las muñecas y la aplastaba con su cuerpo. Ella se quedaba quieta, apretando mucho los ojos, sintiendo cómo él hurgaba en sus entrañas inútiles, rezando para que ocurriese el milagro, para que su vientre se hinchara lleno de vida, de sangre suya, de Marcel, vida suya que sería también, de nuevo, la vida para ella, el único alivio posible en aquella existencia de negrura. Él se iba después, sin hablar ni mirarla, torciendo la boca de desprecio...

A menudo pensaba que se iba a volver loca: sí, enloquecería allí, en aquella casa que ahora se le antojaba oscura, llena de sombras que parecían amenazarla, y que a veces se le metían dentro, ahogándola con su peso, impidiéndole respirar. Algunos días creía oír risas en su cabeza, voces burlonas de niños nonatos, carcajadas de mujeres de vientres fértiles como campos inundados por la lluvia de primavera... A veces quería morirse. Una mañana se despertó con la sensación de que la diadema de hierro que a menudo le apretaba la cabeza se estaba volviendo una tortura insoportable. Aquel dolor brutal se le incrustaba en los huesos del cráneo, que se iban a astillar como pedacitos de cristal reventándose, y le parecía que los sesos se le movían por dentro. En las entrañas sentía la cavidad honda y oscura palpitar y apretarse, como si clamara por la vida que nunca llegaba... A media tarde se desmayó. Luego estuvo enferma, muy enferma durante semanas. La fiebre era alta, y ella se retorcía, inconsciente, entre espasmos y quejidos. Felicia permanecía a su lado día y noche, aliviándola con paños húmedos, acariciándole el rostro desencajado y sudoroso, rezando para que no se muriese... Porque los médicos llegaron a pensar que no sobreviviría, pero su cuerpo era fuerte, tan fuerte como el de la abuela Montespin, crecida bajo soles ardientes y vientos helados, y Mariana, a pesar de todo, se recuperó.

De aquella enfermedad se le quedó por dentro una tristeza serena y resignada. A ella y también a Marcel, que a ratos había sentido piedad de su esposa moribunda, y a ratos el inconfesable deseo de verla desaparecer, de enterrarla y poder buscar luego otra mujer que sirviera, fértil y domeñada... Los dos sabían ya que no habría hijos ni salvación: la larga, eterna espera se había convertido ahora en una honda desesperanza, en un dolor enraizado en los dos y secreto, como el del enfermo sin curación que aguarda la muerte en silencio, roído por un miedo que es ya del todo irremediable.

Una mañana de diciembre —faltaban algunas semanas para celebrar el noveno aniversario de su boda—, Marcel apareció en la casa a una hora inusual, bastante antes del almuerzo. Hacía varios días que nevaba sobre París. El cielo parecía haber cambiado para siempre de color, gris ahora, y negruzco y pardo, semejante a una sima atroz y no a la bóveda azulada y gloriosa de la memoria. La nieve incesante transformaba la ciudad en un espacio moribundo, angustioso de oscuridad y de silencio, aquel silencio helado en el que a veces resonaban las quejas de un transeúnte entorpecido, las maldiciones de algún cochero cuyos caballos se resistían a seguir caminando en la agonía... Desde que empezó a nevar, Mariana no había vuelto a salir. Se pasaba las horas sentada junto a la ventana, bordando, sintiendo cómo se le agrisaban primero los ojos, luego el espíritu, y las entrañas, y el cuerpo todo, que se le iba volviendo hielo sucio y pegajoso, fría y embarrada humedad. Ni siquiera había ido a visitar a Felicia, enferma aquellos días de una gripe violenta. En el anochecer temprano, la doncella encendía a su lado una lámpara, atizaba el fuego y le colocaba sobre las rodillas una manta oscura y pesada. Pero tampoco así lograba percibir la tibieza, pues la sangre era ahora escarcha. A veces se quedaba allí hasta muy entrada la noche, cuando sólo transitaban ya por las calles algunos coches de los que salían voces, risas masculinas, chillidos de mujeres, animadas charlas de seres que seguían viviendo en aquel lento fin del mundo... Hacía mucho tiempo que Marcel no venía nunca a cenar, y ya no iban juntos a ningún sitio. Ni siquiera aparecía por su habitación, oliendo a alcohol y a tabaco, para satisfacer en ella las urgencias, los últimos estertores de su ansia... Cuando se presentó en la casa aquella mañana, de improviso, Mariana ya sabía lo que iba a ocurrir. Lo había soñado varias noches atrás, el día que empezó a nevar, ella desnuda, cubierta de arañas negras que se le clavaban en la piel como las agujas se hincan, sin compasión, en el blanco y frágil hilo de los bordados, ella inmovilizada por una fuerza atroz, enmudecida por un cruel silencio, y Marcel yéndose, alejándose despacio, muy despacio, como si caminase sobre una tierra de pantanos, alejándose sin volver la vista hacia un lugar distante y perdido, en el que brillaba un resplandor de fuegos, un relampagueo de disparos... Él hizo que la llamaran para que fuera a su despacho. Estaba sentado a su mesa, iluminado por una lámpara dorada y azul, cuajada de flores y tallos y bayas, que eran como un grito de burla en la mañana umbría y helada. Fingía estudiar atentamente sus papeles, y no levantó la vista al oírla entrar, ni cuando habló:

—Me voy —dijo.

Y Mariana sintió una escarbadura en el vientre.

No hubo más palabras. Se levantó y se fue. Ella se quedó allí, de pie, retorcida del dolor, contemplando la sombra de la lámpara sobre los papeles, la silueta afilada y burlona de la muerte...

Años después, aquella otra mañana de frío, de nieve enrojecida ahora por la sangre de tantos muertos, cuando el general Des Forges —compañero de su marido en el Alto Estado Mayor— vino a visitarla, Mariana sabía ya lo que iba a decirle. Lo había soñado tres días antes, la noche en que desapareció el anillo. Ella lo había dejado como siempre en la cajita de terciopelo, sobre la mesilla. En los últimos tiempos, le parecía que la oprimía —quizá su cuerpo estuviera envejeciendo en aquella guerra interminable, hinchándosele poco a poco las articulaciones, deformándosele los huesos—, y solía quitárselo antes de dormir. Aquella noche soñó con Marcel. Estaba desnudo, cubierto de barro, muy pálido y sucio a la vez, inerte en medio de una luz dorada y vibrante, inmensamente triste, una luz crepuscular, de cielo por el que revoloteasen las almas de los niños muertos, y alguien empujaba sobre él la gran losa de piedra cuyo ruido espantoso resonaba en las bóvedas desnudas de la iglesia... Se despertó angustiada, y buscó de inmediato el anillo en su estuche, como si la presencia material de aquel objeto pudiese ahuyentar la pesadilla, conjurar la muerte. Pero no estaba. Ni allí —en la cajita ahora vacía—, ni en ningún rincón del dormitorio, ni en toda la casa... Cuando al fin tuvo que aceptar su desaparición, cuando al día siguiente recibió la visita del general Des Forges, Mariana ya sabía que Marcel había muerto. Había muerto odiándola, maldiciéndola, sin perdonarle el feroz vacío del vientre que le había privado, por siempre, de la persistencia de su sangre.

# IX

FELICIA NUNCA TENÍA FRÍO. Mariana la recordaba llevando siempre vestidos ligeros, grandes escotes que dejaban al descubierto la piel de su pecho, pálida y muy suave, tersa incluso en los últimos años, a pesar de las estrecheces de la guerra y de la edad y los achaques, que parecían haberse precipitado de pronto sobre ella, como les había ocurrido a tantos otros en aquellos tiempos. Las calles de París, y los campos de Francia, y los caminos embarrados de las aldeas se habían llenado durante esos años de espectros, hombres mutilados, con rostros contrahechos del espanto, niños esqueléticos, cubiertos de pústulas, viejos que eran sólo sombras que se arrastraban sin alcanzar a comprender por qué seguían viviendo, mujeres de ojos enormes como gritos de pavor, con los senos flácidos del hambre... Incluso quienes siempre habían disfrutado de riquezas y cuidados parecían haberse derrumbado bajo el peso de aquella interminable pesadilla: las madres habían sido privadas de sus hijos, las esposas eran viudas de pronto, sin haber podido decir adiós al cadáver de quien un día reposó a su lado, las muchachas se morían de enfermedades para las que no se había logrado adquirir el remedio, a veces ni siquiera el alimento que fortaleciera el cuerpo frente al mal... Había familias enteras arruinadas, que vivían ahora amontonadas en oscuros pisos interiores —mientras los palacetes eran derruidos— y recosían una y otra vez, por aprovecharlos, los viejos vestidos lujosos, anticuados ya y marchitos. Familias que mendigaban a veces ayuda de aquellos a quienes antes despreciaban —tenderos millonarios del mercado negro, oficinistas enriquecidos con las falsificaciones—, y a los que ahora se dirigían humillándose, suplicando, escondiendo los rostros avejentados, mientras murmuraban cifras, cantidades que antaño hubiesen bastado para pagar un banquete, un sombrero o el sueldo de un criado, y eran de pronto imprescindibles para sobrevivir a una enfermedad o comer caliente... En aquellos años, París, el mundo entero, había reventado de sangre, de esputos, de tripas revueltas, de vómitos vacíos, de hondos agujeros calados en el corazón y en el espíritu, que jamás serían cerrados, que seguirían siendo por siempre agujeros asomados al horror y a la maldad...

La fortuna de Mariana había logrado resistir, debilitada pero aún pujante. Aquellos hombres de trajes oscuros y habla pausada que ocupaban los despachos a la orilla del Sena habían sido capaces de reconducir las inversiones, abandonando lo insalvable, arriesgándose en proyectos de guerra o de reconstrucción. Mariana sabía que, sin grandes dispendios, su vida de comodidades estaba asegurada. También Felicia había tenido

186

suerte, y mantenía intacto un capital que nunca había sido excesivo, pero sí suficiente para garantizar su existencia. A otros, en cambio, las cosas no les habían ido tan bien. La tía Alicia, por ejemplo, pobre y viuda ahora —su marido había muerto durante la feroz epidemia de gripe—, vivía en casa de su hija María Luisa, recluida en una habitación. Si alguien se hubiese molestado en mirar a través del ojo de la cerradura, habría podido ver a una anciana de larguísimo pelo blanco, cuidadosamente recogido en un moño rancio, vestida con un traje antiguo de encajes y puntillas y botoncitos diminutos forrados en raso, más parecida a una vieja muñeca que a un ser real. Una anciana tal vez loca, que alargaba al aire el brazo adelgazado por las penurias, y sonreía como sonríen las niñas ante el primer hombre, ladeando la cabeza y entrecerrando los ojos, y se llevaba las manos retorcidas al pecho o a las mejillas, en interminables, lentísimos gestos de damisela pretendida y enamorada... Tenía largas conversaciones con sus antiguos amantes, que venían a adorarla a aquella habitación llena de fotografías y cartas envueltas en lazos, entre las que descansaban resecos pétalos de rosas que un día habían provocado lágrimas en sus sentimentales ojos... Alicia era uno de los seres más afortunados de París: jamás supo que los hombres fueran capaces de matarse los unos a los otros como serpientes enroscadas en la misma rama, y que la sangre y la agonía pudiesen provocar la risa en quien las contempla, ansioso de muerte y de mal. Su espíritu seguía viviendo en los tiempos de la luz, en un universo que respiraba despacio y hablaba en susurros, sobre el que extendía sus brazos un Dios vigilante. Nunca alcanzó a vislumbrar los precipicios por los que el mundo se tambaleaba. Cuando murió, años después, nadie la lloró. Aunque una criada campesina se atrevió a contar que durante toda la noche oyó en la habitación suaves gemidos, acallados sollozos de hombres. Aquel mismo día fue expulsada de la casa: «No quiero a mi alrededor más viejas chifladas y supersticiosas», dijo María Luisa.

También al tío Charles se le había desgraciado la vida. Mariana apenas lo había conocido. Antes de llegar ella a la ciudad, aquel hombretón guapo y delicado se había ido con su familia a Indochina, donde regentaba diversos negocios. Hacia 1910, su esposa Laure y sus hijos habían regresado a Francia, para instalarse en Niza. Pero nunca se les volvió a ver en París. Ni siquiera comunicaron su llegada a la familia. Algunos creían saber el porqué: se contaba —y quienes habían estado en Saigón afirmaban haberlo visto— que en aquel ambiente de vapores caluríferos y perfumes penetrantes, a Charles de Tréville, marqués de la vieja Francia, se le había revuelto la sangre, aflorándole ciertos vicios insospechados. Se decía que buscaba la compañía de muchachitos duros como la carne de las estatuas y suaves como la luz de la luna. Algunos se atrevían a murmurar, incluso, que en los últimos tiempos, justo antes de que su familia lo abandonara, había empezado a vestirse de mujer, con trajes de sedas de colores chillones que envolvían su cuerpo redondeado por los años, el rostro empalidecido de polvos de arroz que trataban de disimular las sombras oscuras del vello, y en la cabeza grandes pelucas sobre las que colocaba diademas de perlas y velos bordados de estrellas... Durante años no se supo nada de él. Sólo después de la guerra, un misionero llegado de Indochina visitó a Cristina para informarla de que su tío había sido encontrado en una aldea miserable del interior, vestido con harapos femeninos, maloliente a alcoholes y atravesado de cuchilladas. Su viuda —si es que aún vivía— y sus hijos habían desaparecido durante la guerra, y no se les pudo avisar de aquella pérdida. El marquesado fue a parar a Louis, el hijo mayor de la prima Blanca, un muchachito por entonces de temprana y sorprendente vocación de científico, que llegaría a olvidarse con el tiempo, inmerso en sus pipetas y sus tubos de ensayo, del histórico blasón que adornaba su nombre.

En aquellos años de la guerra, todo el mundo parecía tener frío. Quizá fuera por la escasa alimentación, o por la falta de combustible para calentar las casas, que obligaba a permanecer durante el invierno envueltos en mantas y abrigos, enguantadas las manos y arropadas las gargantas. Además, incluso cuando no había nubes, el cielo parecía haberse cubierto de una capa de cenizas y humo —las cenizas y el humo de las bombas, de los disparos, de las ráfagas de ametralladora, de los gases venenosos, de los cadáveres que se pudrían al aire—, y el sol estaba siempre marchito, agrisado, demasiado tenue para calentar los huesos helados de los largos inviernos. Felicia, sin embargo, siempre tenía calor. A menudo, cuando veía a Mariana tiritar, la cubría de chales y la frotaba con energía, como se frota a los niños pequeños después del baño, para templarlos, palpaba luego su propio cuerpo, rebosante de carne a pesar de las penurias, y se reía: «La familia de mi madre fue pobre desde que existió. Y las italianas pobres sabemos defendernos de todos los males...» El día del armisticio, aquel 11 de noviembre de 1918 —cuando se supo que la pesadilla había terminado, y que el mundo, a pesar de todo, no estallaría en mil pedazos, y seguiría girando alrededor del sol, dejando ahora un interminable rastro de sangre en el firmamento—, Felicia se lanzó a las calles, como si no la afectasen las bajas temperaturas, con un fino vestido blanco de verano, el mismo que llevaba el día en que empezó la guerra: «Quiero volver a ese momento exacto para olvidar que todo esto ocurrió.» Obligó a Mariana a quitarse el luto que se había puesto desde la muerte de Marcel, y a rebuscar entre lo que aún quedaba en los armarios un traje sencillo y sobrio que ahora, después de tanta oscuridad, parecía chispeante ropa de fiesta.

Felicia quería, igual que todos, olvidar lo ocurrido. Quienes habían logrado sobrevivir celebraban la permanencia de sus cuerpos sobre la tierra. Era una fiesta de perpetua primavera. Las calles estaban noche y día llenas de gentes que caminaban ligeras como pájaros, dispuestas a gozar de todo aquello que la existencia ponía a su alcance. Habían enterrado a los muertos, apagado los fuegos, reconstruido las ruinas, sembrado los campos... Y simulaban ser dioses inmortales porque se sabían insectos diminutos vulnerables al soplo de un gigante. Soñaban ser dioses inmortales porque Dios había muerto bajo las bombas, abandonando el cielo que fue un día azul y blanco y la tierra que había crecido verde desde la creación, dejándolos solos en aquel mundo de sangre y horror.

Mariana tenía la sensación de que nada era como había sido. Ahora salía mucho. También ella se dejó atrapar en el remolino de fiestas y risas, y seguía a Felicia por las calles, entre la multitud, se sentaba a su lado en los cafés o la acompañaba a los teatros y banquetes. Pero le parecía que las gentes no eran las mismas. Muchos, desde luego, habían desaparecido, muertos, o arruinados, o refugiados en el campo por huir de aquel tráfago que la tristeza de los más viejos ya no soportaba. Y los que quedaban habían transformado sus costumbres. Era como si, con la guerra, hubiera terminado una manera de vivir y de comportarse —el fluir lento y suave del tiempo y las maneras, el apego a lo conocido y probado—, y todo fuesen ahora prisas, gusto del bullicio, afán de novedad... Las calles empezaban a llenarse de automóviles ruidosos y humeantes que conducían a los pasajeros siempre apresurados de un extremo a otro de París, en busca de cafés, salones o antros donde se codeaban viejos marqueses y millonarios nuevos con artistas desharrapados y chillones, damas que antaño jamás hubieran osado enseñar más allá de los tobillos y ahora lucían breves y ajustados vestidos, con muñequitas de cabellos cortos y labios rojos, que se acogían con descaro a los brazos protectores de quien les ofreciese techo y pan a cambio de un sexo que practicaban sin disimulos. Las parejas se besaban en los cafés, y en algunos lugares de buen tono se veía a hombres maquillados como prostitutas y a mujeres vestidas con trajes masculinos, dejando consumirse un cigarrillo tras otro entre los labios...

Felicia parecía divertirse en medio del desorden. Le gustaba ponerse ropa de colores chillones, andar de prisa de un lado para otro y saludar a todo el mundo como si los conociese desde siempre, agitando mucho los brazos, hablando sin parar y riéndose. «Estas nuevas costumbres son excelentes para una italiana —solía decir—. Me he pasado la vida conteniendo la sangre, y ahora, al fin, puedo comportarme como realmente soy.» Mariana se admiraba de su talento para adaptarse a todos los cambios: a sus cincuenta años, Felicia se comportaba como una muchacha que acabara de abrirse al mundo. A los jóvenes les gustaba hablar con ella, porque les contaba viejas historias de épocas que ahora parecían formar parte de un cuento, divertidos chismes sobre personajes que los habían precedido en la mundanidad y que a veces aún compartían con ellos los lugares de moda. Cuando ella aparecía, la rodeaban en seguida para abrazarla, besarla y arrastrarla de una mesa a otra. Y Felicia se dejaba hacer, dichosa y excitada como una debutante. «Tiene gracia —solía decirle a Mariana—. Precisamente ahora que empiezo a ser vieja, estoy viviendo mi mejor temporada... Antes de la guerra, a mis años, me hubieran condenado a comportarme como una mujer formal y aburrida.

Hoy, en cambio, me han convertido en una persona de éxito...»

Un día, algunos meses después del armisticio, Felicia y Mariana fueron a visitar a la duquesa de Camaran. No la habían visto desde el funeral de Marcel, pero sabían que mantenía intacta su altivez y seguía reuniendo en su casa a algunas damas ancladas en el pasado, sobre las que aún reinaba como la gran soberana que siempre había sido. Lucie de Camaran todavía paseaba por París en coche de caballos con blasones dorados, escoltada por lacayos de lustrosas libreas, envuelta en tules vaporosos —ahora malvas por el alivio del luto— y cubierta por enormes sombreros cuajados de flores como diminutos y fértiles jardines. Su corte se comportaba con la exquisitez y el orgullo de otros tiempos, y ella no permitía las defecciones. Se había negado con feroz impertinencia a abrir sus puertas a todos los recién encumbrados, y en cambio seguía recibiendo a muchas señoras empobrecidas, arregladas día tras día con el mismo viejo vestido, privadas ya por siempre de las joyas, pero a las que ella trataba aún con igual deferencia que en el pasado. En aquellos años finales de su vida, muerto su adorado hijo y sin un nieto en el que depositar las esperanzas, madame de Camaran sacaba las fuerzas para vivir de su empeño en mantener el viejo orden, del que ella era, en París, la sagrada depositaria. Nada ni nadie había logrado doblegar el espíritu o el cuerpo de aquella excelsa heredera de la antigua Francia: ni la muerte de Marcel, ni la vejez, ni la ausencia de su marido, que se había trasladado durante la guerra a un caserón de la Provenza

193

—pues no podía escribir con el ruido de las bombas, decía— y que se negaba a regresar, empecinado en entregar sus últimos años a la poesía, y sólo a la poesía. Algunos amigos que habían tenido el ánimo de visitarlo, volvían de allí contando que Alexandre de Camaran vivía rodeado de papeles, montones de papeles repletos de poemas a todos los dioses del Olimpo, las ninfas de los bosques, los héroes de la antigua Roma y hasta algún que otro personaje de la historia moderna de Francia. Vivía escribiendo desde el alba hasta la noche, agitado por una fiebre poética irremediable. Hablaba tan poco —pues allí no trataba con más gente que con los criados—, que cuando decía algo lo hacía en verso, con grandes e incomprensibles palabras que provocaban la admiración de los campesinos, quienes venían a escucharlo escondidos detrás de las puertas. Ya no se molestaba en recoger las poesías en sus afamados y hermosos volúmenes, pues aseguraba que esa ocupación le hacía perder un tiempo precioso. Pero todas sus cuartillas estaban perfectamente ordenadas en carpetas, por temas y fechas y, en los últimos años, hasta por horas del día, para facilitar los estudios de la posteridad.

Mariana se había empeñado en ir a ver a su suegra, a pesar de los consejos de Felicia, que estaba convencida de que jamás la recibiría. Ella se sentía obligada, sin embargo, a aquella visita: pensaba que, desde el más allá, Marcel comprendería su gesto. Pero Felicia tenía razón: una doncella estirada y ceremoniosa, que ni se había inmutado al oír anunciar al portero el nombre de madame de Camaran, viuda, las condujo hasta un salón del palacio y les rogó que esperasen. Mariana temblaba de angustia y de nostalgia, en aquel lugar imborrable en su memoria. Creía ver a Marcel moviéndose entre los viejos retratos, los muebles centenarios y las antiguas porcelanas que parecían haber formado parte de su propio cuerpo, parte de su sangre de heredero y señor. Felicia, entretanto, se admiraba del aspecto de la casa, exactamente igual que antes de la guerra, como si sobre ella no hubieran pasado las bombas, ni las estrecheces, ni el frío. La doncella regresó al cabo de unos minutos:

—La duquesa no desea recibirlas —dijo.

A Mariana se le llenaron los ojos de lágrimas. ¡Ni siquiera ahora, cuando las dos estaban solas en el mundo, solas y llenas de recuerdos, podía aquella mujer mostrar hacia ella una chispa de piedad, de afecto, de simpatía cuando menos! Ella, sin embargo, ansiaba darle consuelo, invocar en voz alta al hombre tan amado de las dos, entremezclar las penas por dulcificarlas en el hermanamiento...

Felicia se puso en pie. Quiso mostrarse a la altura de las circunstancias:

—Dígale a la duquesa que su recuerdo es para nosotras imborrable.

Caminaron hacia la puerta, Mariana cabizbaja —ansiando irse lejos y sintiéndose a la vez atrapada en aquel espacio—, muy digna Felicia, que se recolocaba el vestido elegante, y sonreía. Pero de pronto, mientras cruzaban el enorme vestíbulo, sonó una voz a sus espaldas, una voz grave, inalterable, que parecía sin embargo rascar el aire:

—¿Cómo te has atrevido a llamar a mi puerta...? Tú eres la causante de nuestra desgracia. No lo olvides jamás... No quiero volver a verte nunca.

Mariana no tuvo valor para mirar a su suegra. Escuchó aquellas palabras como el criminal oye al juez que lo condena, y alcanzó a duras penas a atravesar la puerta antes de recostarse contra la pared, mareada y enferma. Felicia, sin embargo, contempló con descaro a Lucie de Camaran, que hablaba desde lo alto de la escalera, y le pareció hallarse en presencia de una hechicera, una maga sobrecogedora y terrible, alrededor de la cual flotasen el odio y la maldad. Antes de salir le hizo una reverencia, más por burlarse de sí misma, de su propia aprensión, que por mofarse de tan imponente mujer.

Aquella noche, Mariana le pidió a Felicia que se quedase con ella en el piso de la avenida Hoche. No podía soportar el malestar. Estuvieron hablando casi hasta el amanecer, como dos viejas amigas que, a pesar de los muchos años de vida en común, aún tienen secretos que desvelarse. Felicia contaba, por entretenerla, cosas de su madre, y de la familia de su madre, aquellos italianos a los que ella imaginaba pobres y transgresores, y sobre los que le gustaba inventar historias cuando sentía hervirle la sangre por dentro. Mariana se reía a veces, y recordaba luego a su bisabuela paterna, la viuda Montespin, de la que el padre siempre le había hablado con amor.

—¿Te das cuenta de lo bueno que es envejecer? —decía Felicia, satisfecha—. Hace años, ni tú ni yo habríamos sido capaces de reírnos de nuestros orígenes. Ahora, en cambio, no nos importaría que alguien estuviese escuchándonos. Si no fuera por las arrugas, yo adoraría ser vieja...

Y miraba el rostro de su amiga, mucho más joven que el suyo, pero marcado sin embargo por trazos profundos alrededor de la boca y en la frente, señales imborrables de la amargura. Mariana suspiró:

—¿De verdad eres más feliz ahora?

—¡Sí, claro que sí...! He aprendido a quererme. Y me cuido igual que una amante cuida al objeto de su amor: con ternura, con benevolencia y hasta con admiración... A veces pienso que no me he enamorado nunca porque, en realidad, no he encontrado a nadie mejor que yo misma para enamorarme. Lo que ocurre es que he tardado muchos años en darme cuenta...

A lo lejos, en la calle, extrañamente silenciosa a aquellas horas, sonó una puerta que se cerraba con descuido. Mariana se arrebujó en el chal:

—Siempre dices eso, pero yo no consigo creerte... Al fin y al cabo, de Hugo de Montespin sí estuviste enamorada.

Todavía, tantos años después, le costaba pronunciar el nombre de su padre, y aún sentía un hormigueo en el estómago al recordarlo. Felicia se rió:

—Eso pensaba yo. Pero era mentira: estaba enamorada del enamoramiento... Creo que casi nadie se enamora de verdad. Hay quienes se dejan engañar por el dinero, o por una determinada manera de vivir, o por cierto cuerpo, o por la compañía... Aunque todos ellos se lo toman muy en serio. Pero, ¿tú has visto alguna vez a un hombre guapo enamorarse de una mujer jorobada y pobre, y amarla el resto de su vida...? Ese sería el auténtico amor. Lo demás, Mariana, son sólo apaños. Necesarios para vivir, pero apaños al fin y al cabo.

La voz de Felicia sonaba ahora triste y desdeñosa, como la de alguien que ha recorrido medio mundo y sufrido muchas penalidades, para descubrir al cabo que el lugar hacia el que caminaba no existe. Mariana se resistía en cambio al escepticismo.

—¿Y qué importa cuáles sean las razones...? Lo único que cuenta es que amas a esa persona, o crees amarla, y que darías tu vida por hacerla feliz...

El viento aulló entonces en la chimenea. A Mariana le pareció que Marcel de Camaran revoloteaba una vez más junto al fuego, y sintió que todo aquello —el resplandor de las llamas rojas y azules, el crujido de los leños, el silbido del viento, el peso asfixiante de la sombra de su esposo— le estaba llenando el alma de negrura... La pena se le convirtió de pronto en rabia, y casi sin darse cuenta, sin levantar la vista de aquel pozo en el que se le había quedado anudada la vida, preguntó lo que siempre había querido saber. Y lo dijo, después de tantos años, muy despacio, temblándole un poco la voz, conteniendo luego el aliento, como si las palabras de Felicia fueran la respuesta al gran enigma de la existencia:

—¿Cómo consigues no sentirte sola?

Felicia se rió, con la risa breve y jubilosa que guardaba para sí misma.

—No lo consigo. Siempre me siento sola. Desde que murió mi madre, siempre me he sentido sola. Lo único que me diferencia de ti, es que yo acepto la soledad, aunque tampoco a mí me guste.

Mariana callaba. Sus ojos parecían enormes, ojos de niña asustada, de niña perdida en medio de un mundo inabarcable y lleno de sombras. Felicia se apiadó de ella.

—¿Por qué no vienes un día conmigo a Courbevoie?

Mariana se sobresaltó. Hacía mucho tiempo que conocía los gustos de su amiga. Sabía que, incluso ahora, solía ir dos o tres veces al mes a ese lugar, y a otros pueblecillos de los alrededores de París, en busca de muchachitos con los que se veía de noche. Ella siempre le había perdonado a Felicia aquella costumbre, y hasta la había comprendido, pero jamás se imaginó a sí misma buscando por las tabernas una mirada o un gesto que sirvieran, a cambio de dinero, para conjurar la soledad. Aquella noche, sin embargo, la idea de un cuerpo tendido a su lado iluminó de pronto el aire: fue como si se hubiese oído el sonido melodioso y fuerte de una cascada, como si un árbol se hubiera puesto a florecer en pleno invierno, como si un ángel hubiera cruzado la habitación, dejando una estela de perfume en el rastro intangible de sus alas... Mariana observó la chimenea: los leños habían dejado de crepitar, y el viento parecía haberse detenido de pronto. Todo era silencio, luz y silencio. Su voz sonó ahora firme:

—¿Por qué no...?

Fueron a Courbevoie. Había casuchas miserables y decrépitas, que se tambaleaban bajo el peso del aire, y tabernas oscuras como covachas, apestosas a humo, y a alcohol barato y a sudor... Había prostitutas que enseñaban senos enormes, y olían a iglesia... Y hombres sucios y torvos, que se paseaban arrogantes hundiendo las manos en los escotes de las mujeres, calurosos como hornos... Y había muchachos con camisas blancas, arremangadas por encima de los codos, mostrando los brazos robustos, hechos al peso de las cosas, al esfuerzo de arrastrar y levantar y sostener... Los pantalones de lana basta se les apretaban en los muslos y en las caderas, como queriendo estallarse, y los ojos miraban con altivez a las señoras ricas —viejas ansiosas de carne fresca, pensaban— que permanecían en la puerta, acostumbrándose a la penumbra y al olor. Una mujer borracha se les acercó, alzando la voz amenazadora de palabras incomprensibles, manoteando los brazos al aire, como dispuesta a dejarlos caer sobre ellas, y destrozarles el peinado a la moda, la cara maquillada con elegancia, los abrigos bordados finos y calientes, los delicados zapatitos de tacón... Mariana quiso irse, huir de aquel lugar indigno, donde iba a perder por siempre la dignidad. Agarró la mano de Felicia y tiró de ella para salir, pero en ese instante, un joven guapo, bien vestido, surgió igual que una aparición de la penumbra, y se inclinó sonriente ante Felicia, como un caballerito de los bulevares, mientras apartaba de un manotazo a la borracha. Ella lo besó en la mejilla, coqueta, familiar, y algo le dijo al oído. El muchacho salió de la taberna. Las dos mujeres esperaron en el coche, Mariana sintiendo la vergüenza en todo el cuerpo, encogido y tenso, Felicia tranquila, sujetándole la mano y dándole palmadas suaves mientras le sonreía. El chico volvió, acompañado ahora. «Es mi hermano», dijo a través de la ventanilla. Y señalaba al otro, guapo como él, algo más joven quizá, más pobre vestido... Felicia buscó el asentimiento de Mariana, pero ella no podía hablar. Entonces le dio un papelito al muchacho:

—Su dirección —dijo—. A las doce.

—A las doce en punto, como siempre. Yo a su casa, y él a la de su amiga.

Y sonreía como un querubín salpicado de barro.

La noche fue dulce. Larga y dulce. Mariana no pidió nada: sólo quiso ver el cuerpo tendido a su lado, arrebujar la cabeza en el pecho, cerrar los ojos y oír los latidos perfectos del otro corazón, y abrirlos luego, y mirar sosegada al rincón del que había huido la sombra, la terrible sombra de la muerte, compañera diaria de las noches largas y espantosas y solitarias...

Después, al amanecer, cuando él se fue prometiendo el regreso, sobre la almohada quedó el hueco de su cabeza. Mariana hundió la cara allí, en aquella templanza de nido, y lloró lágrimas de pena y de gusto, que parecían salirle de lo más hondo del vientre.

201

## X

A LAS SIETE DE LA MAÑANA del día 14 de junio de 1940, Enoch *el Negro* se puso a gritar en la playa de Deauville. Enoch *el Negro* había nacido en un poblacho cerca de Nueva Orleans, uno de esos cabañales de chozas mugrientas donde siempre olía a sudor y a excrementos. Nunca supo quién había sido su padre, ni tampoco la madre, que tal vez lo abandonara de muy niño para seguir por los caminos polvorientos los pasos de algún jayán al que ella lamía por las noches los picotazos de los mosquitos, antes de que él la golpease con saña y la penetrara luego con incontrolable pasión. O quizá se había muerto. El caso es que Enoch se recordaba siempre a sí mismo correteando solo por las calles de Nueva Orleans, comiendo lo que le daban en las cocinas de los burdeles y durmiendo en cualquier rincón donde estuviese a salvo de los pisotones de los caballos. No era una mala vida, aunque él solía pensar que había tenido suerte: de no ser por Jimmy *el Lagarto*, quizá habría acabado muerto en algún cubo de basura. Pero Jimmy se dio cuenta de que Enoch tenía los dedos muy largos, unas manos flexibles y fuertes que parecían un milagro en aquel cuerpecillo sucio y lleno de pústulas, y le enseñó a tocar el piano, por las tardes, en la sala aún vacía del Parnaso Sureño, mientras las mujeres medio desnudas revoloteaban alrededor, riéndose con ternura de aquella pareja de artistas que luego, durante las noches, ponían ritmo a las caderas que se meneaban infatigables delante de los clientes brillantes de sudor. A los diecinueve años, a Enoch lo mandaron a Europa a hacer la guerra. Allí sobrevivió a tres heridas de bala que le hubiesen costado la vida a cualquiera con menos sangre de estepa africana en las venas, se enamoró de la lluvia y el frío y comprendió que un negro pianista, parrandero y guapo, tenía mucho más futuro en aquellas tierras viejas como el mundo, donde se le consideraba un lujo o una broma, que en medio de todos los negros miserables que poblaban su país. Enoch llevaba veinte años viviendo en Deauville, tocando el piano en los hoteles y los restaurantes de lujo, ganando buenos dineros y procurando placer, con alguna frecuencia, a ciertas damas de piel muy blanca aficionadas a las excentricidades. Se sentía más normando que los propios normandos. Conocía al dedillo la ciudad y sus costumbres, sabía a quién pertenecía cada casa, y qué tal se llevaban sus moradores, y hasta hubiese podido recitar de memoria —aunque nunca lo hacía— los defectos físicos de muchos de ellos, de los que estaba informado por las confesiones de esposas o amantes. El clima de Deauville no tenía para él misterios: con sólo mirar al horizonte, al fondo de aquel mar que lo separaba por fortuna de su patria, o levantar el dedo humedecido de saliva al aire, Enoch ya podía predecir si la playa estaría llena al día siguiente, o habría que sacar paraguas y gabardinas, y hasta sabía si se encontraría o no pescado fresco para la comida. En los últimos tiempos, se le habían ido poniendo ciertas molestias en los huesos, reumatismos de la humedad y el frío, que le ayudaban en sus dotes meteorológicas y de los que él presumía como hubiese presumido de una medalla, pues lo hermanaban con los naturales del lugar, crecidos entre algas y líquenes. Si hubiese sabido, Enoch *el Negro* habría podido escribir un tratado sobre Deauville. Pero en sus muchos años de estudio, nunca había visto nada semejante: aquella madrugada de viernes, al salir del hotel Royal, donde había estado tocando durante toda la noche para unos cuantos jovenzuelos que tal vez querían olvidar, en aquella primavera animada y cálida, las terribles perspectivas que podían ensombrecer su futuro —y quizá acabar con él para siempre—, Enoch miró como solía al cielo, por adivinar el tiempo. Pero aquel día no hubo azul risueño, ni negras nubes amenazadoras, ni borreguitos tiernos de algodón... Aquel día las alturas eran un clamor de terrores: un águila enorme, negra como la muerte, extendía sus alas sobre Deauville y más allá aún, por encima del mar y de los campos del interior, y en el pico llevaba un pajarillo tembloroso y desmadejado, que iba dejando un rastro de sangre por el cielo... Algunas horas después de que se conociese en toda la ciudad la visión que había tenido Enoch, se supo que los alemanes habían ocupado París.

Gabriel no parecía tener miedo. Era Mariana quien temblaba por su vida: muchas gentes que huían del crimen habían ido llegando hasta Deauville en aquellos últimos meses cargados de amenazas y respiros, como un volcán que lanza humo, y estalla y truena, y reposa después, durmiéndose al aire, a la espera del gran espasmo, de la explosión última, de la súbita erupción mortal. Eran hombres y mujeres ricos, judíos polacos lánguidos como príncipes de cuento, nerviosos judíos alemanes, sabios judíos austríacos, y todos ellos temblaban, y hablaban en voz baja, y caminaban espiando las sombras a los lados, y llevaban el miedo en los ojos pálidos y en las manos, cerrados los puños, blanquecinos los dorsos, en los que se azulaban las venas tensas y palpitantes...

Al día siguiente, cuando se supo que los alemanes avanzaban imparables hacia la costa, Mariana tomó la decisión. Alquiló un coche y luego, segura del plan meditado en silencio durante días, fue a la habitación de Gabriel. No le dejó hablar:

—No me importa lo que diga usted. Lo he organizado todo: iremos a Belbec, y se quedará allí, en mi casa. Se hará pasar por uno de los criados. Sólo serán algunas semanas. Esto no puede durar mucho más.

Gabriel sonrió, y agachó la cabeza, y se dejó hacer.

La carretera de la costa era una interminable procesión de seres enloquecidos, remedos de hombres y mujeres que fueron un día humanos, y rieron y esperaron y celebraron, y huían ahora del terror hacia el terror como animales llevados al matadero, como corderos que corren del lobo, bramando, sollozando, clamando al cielo, perdiéndose los unos de los otros en medio de la marabunta, madres gritando por sus hijos, ancianas ciegas arrancadas a su bastón, niños que se debatían a puñetazos por volver a agarrarse a la mano grande que los conducía, alejados de ella por otras manos que luchaban contra los demás, y contra el aire, y contra el tiempo, todos luchando por vivir, por llegar lejos y seguir respirando intactos, hambrientos, solos, ateridos pero intactos, libres de las bombas y de las metralletas, seguir viviendo, a pesar de todo, porque ésa era su obligación de seres vivos, seguir viviendo, no obstante los muertos y aquel horror otra vez repetido, mil veces repetido, aquel horror grande como el infierno, profundo como el infierno, ardiente como el infierno que era ya, por siempre, el mundo entero.

El coche se detenía a cada paso. Gabriel y Mariana callaban. De pronto, él le cogió la mano, y en medio de los gemidos y las maldiciones y los rezos, le oyó decir:

—Le agradezco a usted lo que hace por mí. Pero no me importa morir.

Mariana le miró al fondo de los ojos, grandes, negros, tristes, y vio en ellos a la niña amada, la niña con sus trenzas oscuras y perfumadas, la niña que reía y hacía el camino largo hasta la escuela cogida de su mano, dejándose llevar, y soñando otros caminos, senderos luminosos y lejanos que recorrerían juntos, dando la cara al sol y a la lluvia, protegiéndose el uno al otro del sol y de la lluvia, la mano pequeña y blanca en la de él, como una cuna, como un bastón, dos corazones que latían a la par, prometiéndose que nunca palpitarían el uno sin el otro, que jamás habría sol ni lluvia, ni caminos lejanos para el uno sin el otro... Gabriel la había amado siempre. Desde que nació, decía. Las madres, vecinas, dieron a luz el mismo día, y ponían las cunas juntas: «Serán amigos, y luego novios, y luego marido y mujer...», y si ella lloraba él reía por consolarla, y si él agitaba los bracitos ella los movía también, buscándolo. Crecieron juntos, y juntos aprendieron a caminar, apoyándose el uno en el otro, y fueron sus nombres las primeras palabras que supieron. Luego, Gabriel jugaba a coger rayos de luna para ella —que se los prendía a él en el pelo—, y ella se enganchaba a las estrellas por darle una montura sobre la que cabalgar enlazados, por el cielo. Siempre supieron que se amaban, y que sus cuerpos eran el uno del otro, y que se pertenecían los corazones, entremezclados como dos tallos que hubiesen crecido a la par, enredándose el uno en el otro, y que no pudieran ya separarse. Lo que sentía Gabriel lo sentía la niña, y si el uno soñaba ternezas por las noches, la otra vivía en su cama el mismo sueño.

Pero la vida quiso ser cruel con ellos: un mes de enero, cuando acababan de cumplir los quince años, los dos enfermaron. Tuvieron mucha fiebre, y se agitaron a la vez, y los mismos monstruos vinieron a infestar sus cabezas. Pero una noche helada la niña murió, y Gabriel siguió sin embargo viviendo. Cuando estuvo curado y se levantó y notó su ausencia, y supo sin que nadie se lo dijera que ella se había muerto, se le cerró el corazón, apretado y reseco después como una piedra, y se le quedó su imagen, con las largas trenzas perfumadas flotando al aire, dentro de los ojos. Su destino era hermoso: se hizo rico, y fue generoso y bueno. Muchas mujeres lo amaron, y muchos hombres fueron sus amigos verdaderos. Sin embargo, él llevaba dentro la ausencia, y sólo quería morir para volver a sentir la mano pálida y pequeña palpitando dentro de la suya.

Mariana se la apretó con fuerza:

—Ya sé que no le importa morirse. Pero a mí sí me importa —y mucho— que usted se muera.

Y le sonrió, y volvió a pensar en Felicia, que habría dicho lo mismo de estar allí: sí, Felicia siempre había decidido por ella, la había protegido aun a su pesar, no la había dejado morirse... Felicia había sido la madre cariñosa, la amiga confidente, la recta maestra. Y ahora que ya no estaba, era ella, la que nunca había sabido cuidar de sí misma, quien ocupaba su lugar, y atendía al débil, y velaba por su bienestar y su seguridad y su dicha, como si llevara el espíritu de Felicia en su propio espíritu, impulsándola a ser generosa y fuerte...

Mariana miró hacia la carretera. El tumulto crecía a su alrededor. Sin embargo, las bocas le parecieron de pronto mudas, terribles bocas mudas que se abrían agitadas, queriendo gritar, o se contraían en susurros, o temblaban de miedo y de hambre... Pero ninguno de aquellos sonidos llegaba hasta ella. Sólo oía los sollozos de una anciana, acuclillada en medio del campo próximo, a los pies de un carballo frondoso que parecía alzarse hasta el cielo, negro y bajo, una vieja de cabellos muy blancos, peinados con primor, con su pobre vestido de luto, acurrucada bajo el árbol, sollozando de soledad y de pena y de agotamiento... Mariana recordó a Felicia tal y como la había visto la última vez, en la estación. Era marzo, y hacía frío, y la mañana parecía retrasarse demasiado aquel día. Ella la acompañó al tren. Pensaban irse algunas semanas a Niza —por ver el sol, decía Felicia—, pero la duquesa de Camaran se puso enferma, y Mariana se empeñó en suspender el viaje. Felicia insistía:

—Es una tontería que te quedes. Al fin y al cabo, no te van a dejar entrar en su casa, así se esté muriendo. Y además, no se va a morir: esa mujer es una bruja. Y las brujas no mueren...

Pero Mariana renunció, sin embargo: si Lucie de Camaran se agravaba, ella quería estar cerca, por si mandaba a buscarla. Se empeñó no obstante en acompañar a su amiga a la estación, a pesar de la hora temprana y del frío. Y algo ocurrió allí, algo desolador y muy triste se le debió de pasar a Felicia por la cabeza, porque en el último momento, cuando ya iba a subirse al tren, se abrazó a ella, llorando, y tuvo que venir el conductor a recordarle que estaban a punto de partir, y cuando se alejó, a Mariana le pareció de pronto que era una anciana, una viejecita lastimera y cansada que se subía al vagón entre sollozos, y bajaba luego la ventanilla, agitando una mano temblorosa hasta que el tren casi se perdió de vista en la distancia... Mariana se quedó angustiada, inconsolable, y durante días permaneció en casa, negándose a acostarse por las noches, a pesar de la insistencia de la doncella, esperando aquella cosa terrible que estaba segura iba a suceder...

A Felicia la encontraron estrangulada una mañana en su habitación del hotel, a la hora en que solían llevarle el desayuno. Estaba desnuda sobre la cama, amoratada y fría. Faltaban las joyas, el dinero —que ella tenía la costumbre de guardar en una falsa Biblia, en el cajoncito de la mesilla— y hasta algunas prendas de ropa, según declaró la doncella que la había ayudado a deshacer el equipaje. El portero confesó a la policía que, igual que otras veces, había recibido una buena propina de la baronesa de Lacale por hacerse el dormido a medianoche, justo a la hora en que solían visitarla ciertos mozalbetes de los barrios bajos. Y como se había hecho el dormido, tan sólo vio pasar por delante del mostrador una sombra tal vez alta y fornida, alguien a quien jamás podría identificar. Luego, ni una sola persona había salido del hotel en toda la noche, al menos por la puerta principal. A él no le sorprendió: a veces ocurría que los chicos aquellos, después del esfuerzo, se quedaban rendidos en brazos de las señoras, y más de una camarera había sorprendido a alguna desigual pareja durmiendo bien entrada la mañana, y había sido generosamente recompensada por su silencio... La policía aconsejó discreción al personal del hotel —estaba en juego el renombre de la ciudad—, fingió hacer algunas indagaciones en ciertas tabernas de mala fama, y optó por suspender las pesquisas:

era un caso complicado, sin más pistas que algunas de las huellas encontradas en el aposento, y al fin y al cabo, nadie se interesaba demasiado por la muerte de aquella vieja.

Mariana no fue al entierro ni al funeral. Le parecía que si no veía el féretro, si no alcanzaba a imaginarse a Felicia dentro de aquel pedazo de madera, quieta, muda, ausente ya para siempre, era como si no se hubiese muerto. A ratos se empeñaba en creer que aquello no había ocurrido, que sin lugar a dudas se habían equivocado y era otro el cadáver que estaban enterrando en el Père-Lachaise, otra la mujer que había muerto en el hotel Negresco, asesinada porque era vieja, y rica, y estaba sola, y había ansiado aquella noche un instante de ternura, una sonrisa, una voz que dijera su nombre en la oscuridad, una mano que le acariciara la boca siempre inútil, aquella boca que nunca había besado a un hijo, ni a un amante que soñara la eternidad en el encuentro de las lenguas, que jamás había cantado una nana, ni acallado un llanto, ni corregido un capricho, ni había servido para decir «te amaré más allá de la muerte» y ver repetido el amor en los otros labios, caliente, imperecederos... Mariana se negaba a aceptar que Felicia hubiera muerto, y que hubiera muerto así, más sola que nunca porque había pagado por no estar sola, más abandonada que nunca porque había querido comprar aquella noche compañía y cobijo y arrullo, y había soñado ser sombra y refugio y espejo, y sólo había sido una vieja sola y abandonada, a la que habían asesinado...

Cuando Gabriel volvió de su viaje a Budapest,

fue a visitar a Mariana. La encontró en la cama, llorando, tapándose con la manta la cabeza. Los criados le dijeron que llevaba varios días así, sin comer, ni hablar con nadie, ni ver la luz. Entonces, él se acercó a aquel bulto que se agitaba bajo la ropa, y puso la mano encima, e imploró:

—No puede dejarme así, Mariana. La necesito.

Y Mariana sintió como si una fuerza muy grande tirase de ella, como si Felicia se le hubiera metido por dentro —igual que la madre antaño— para que ella no se muriese de pena, para que no se ahogase en aquella soledad y aquella pena tan grandes... Entonces los sollozos se calmaron poco a poco, y tuvo ganas de ver la luz, de abrir las ventanas y llevar a Gabriel, cogido de la mano, por las calles...

En Belbec lo organizó todo de prisa: repartió dinero a los criados y a los hombres de la aldea, dio órdenes, comprobó la ropa que habría de ponerse y el cuarto oscuro, húmedo, miserable, donde debía dormir. Luego hizo un alto para llevar flores a la madre, y a Annick y a Joseph, que reposaban juntos en el cementerio del pueblo, a la sombra de la torre. Pero no hubo tiempo para las lágrimas. La nostalgia fue esta vez un latigazo, un dolor veloz que le dejó en el cuerpo el regusto de lo abortado: tenía que regresar en seguida a Deauville, antes de que los alemanes ocupasen los caminos e impidieran el paso. No podía quedarse allí: si ellos llegaban, le iban a notar el miedo, y bastaría la sombra de Gabriel cruzando a lo lejos para que se pusiera a gritar... Se despidió de prisa, dejando la angustia y la pena para después, pero miró largamente a los ojos del amigo, y subió al coche llevándolos aún en los suyos, igual que el día que lo conoció, dos años atrás, en casa de Robert de Morisel —«Gabriel Cohen, un buen amigo de mi hijo»—, y supo que algo irremediable la iba a unir por siempre a aquel hombre tan joven y tan triste, que llevaba en las pupilas a una niña de trenzas oscuras, algo que no era sólo amistad, sino una cosa tibia y dulce y como afligida que le salía de las entrañas, igual —pensó ya entonces— que le había ocurrido a Felicia cuando la conoció a ella, tantos años atrás...

Mariana pudo regresar a Deauville antes de que llegasen los alemanes. Luego se quedó allí, en aquella ciudad tomada, agrisada de pronto, envilecida por el taconeo de las botas militares contra el suelo, por los gritos extranjeros, por el despliegue de las esvásticas al viento del Norte, por el miedo y la humillación de cuantos agachaban la cabeza, y la traición de los que sonreían al paso de los *boches*, y amagaban después un saludo y luego, animados por el armisticio, trataban de labrarse un porvenir en la tierra ocupada y vencida. A pesar de la tristeza, Mariana quiso quedarse allí, cerca de Belbec, cerca de Gabriel, por si la necesitaba, para acudir a abrazarlo —quería pensar— cuando los cerdos se fuesen, derrotados, y el nombre de su amigo dejara de ser un secreto innombrable, una espantosa condena a la tortura. Pero día a día, perdía la esperanza: nadie luchaba ya. Media Francia estaba en manos de los alemanes, y la otra media parecía resignada al horror. La tibia, brillante primavera de mayo había sido suplantada por un invierno temprano, inaudito, que se había enseñoreado del cielo y de la tierra, imbatible y atroz.

A finales de julio, un campesino que vendía patatas y manzanas dejó en el hotel una carta para madame de Camaran. Mariana comprobó la letra torpe del sobre, la ausencia de remite, y tembló mientras la abría. Toda la desolación —pensó en un instante— cabe en una hoja de papel:

*Señora:*

*Tengo que escribirle por las malas noticias. Vinieron esta mañana y se llevaron a su amigo. No sabemos quién habló. Llegaron aquí como fieras, y nos sacaron a todos a la terraza, con las armas apuntándonos. También a las mujeres, que gritaban. Nadie dijo nada, pero al señor lo reconocieron por las manos, que no tenían callosidades. Él sonreía cuando lo subieron al coche. Parecía que no sintiese miedo. Todos pudimos ver la alegría que le salía de dentro, del corazón, y las chispas de los ojos, que brillaban. El cura nos dijo luego que la buscan a usted, y anduvieron preguntando por el pueblo. Tenga cuidado. Váyase si puede. Nosotros rezamos por él y por usted, para que Dios se apiade de sus buenos hijos.*

*Besa su mano*

PIERRE

La lluvia había empezado a caer sobre los castaños del jardín. A lo lejos, por encima del mar, la niebla se acercaba a la tierra, para tragársela. La noche iba a ser infinita. Toda la vida sería, desde ese momento, una noche infinita de soledad. No quedaba nadie. Nadie. Ni la madre, ni el padre, ni Marcel, ni Felicia, ni Gabriel. Todos muertos, pesando en su corazón y muertos. Ya no tenía nadie a quien amar y de quien ser amada. Nadie que ahuyentase la muerte en la oscuridad. Nadie que abrazase, y señalara el camino a la luz y a la vida, como el esposo de Cerveteri abrazaba a la esposa, suavemente, sí, bastaba aquella mano suave sobre el brazo, el leve roce en el hombro, y aquel gesto de la palma abierta para ahuyentar el miedo y conjurar las sombras... Mariana se recordaba allí, en la Villa Giulia, un año antes, durante el viaje que había hecho a Roma con Gabriel, después de la muerte de Felicia. «No quiero viajar —le había dicho—, me da miedo alejarme de los lugares que conozco. Siempre pienso que el mundo es demasiado grande, y que voy a morirme lejos, sola, abandonada.» Pero él insistió: «La necesito.» Fueron a Roma, y Mariana cuidaba de él y de su dolor igual que hubiese velado a un hijo enfermo. Y allí, en la Villa Giulia, al entrar en la gran sala de los sepulcros etruscos, la vida fue de pronto un túnel, un absurdo remolino de destiempos, y malentendidos, y errores y fracasos: a aquel hombre y a aquella mujer los habían enterrado juntos, dos mil años atrás. Los habían enterrado juntos porque se amaban, y él le rozaba suavemente el hombro y el brazo, y abría la mano para indicarle el camino de la muerte, la senda eterna de otra vida llena de luz que recorrerían juntos, amándose y juntos...

A ella, a Mariana de Camaran, la enterrarían sola. Las losas resonarían en su cabeza, frotándose la una contra la otra, y la sombra caería para siempre sobre su cuerpo, sombra y polvo solos por los siglos de los siglos.

# EPÍLOGO

LA NIEBLA HABÍA DEVORADO poco a poco la ciudad. Se había ido enroscando sobre ella, desde aquel mar Cantábrico que bramaba furioso como un titán, liándose en los campanarios de las iglesias, en los tejados rojos de las casitas abiertas en miradores hacia el horizonte, para poder soñar viajes lejanos en busca del novio que se había ido un día, con lágrimas en los ojos y ardor en el corazón, detrás de un destino de anillos de oro macizo en los dedos y, al regreso, un palacete de colores y torrecillas de hadas y palmeras elevándose en el aire, hacia un cielo que era azul allá, en las tierras del otro lado, turbio aquí, oscuro y turbio y generoso para el suelo fértil y verde. La niebla rondaba los grandes ventanales del hotel, y entraba a ráfagas por la puerta —maderas macizas, vidrios decorados de tallos y flores— cada vez que algún huésped retardado la empujaba al entrar en el recinto caluroso, dejando tras de sí un rastro de gotitas de bruma flotando en el aire, de olor a tabaco y perfumes chillones de rameras. Mariana entreabría entonces los ojos, y observaba ansiosa los gestos ostentosos de la vida

—las risas atrevidas de los hombres, los susurros adormecedores de las mujeres, el movimiento de las manos sobre el mostrador, buscando las llaves, los pasos excitados o cansinos que se alejaban hacia el ascensor del fondo. Luego, restaurado el silencio, adormilado de nuevo el portero, desvanecida la niebla que había flotado hasta las escayolas del techo, perdiéndose entre las rosas y los angelotes pintados, cerraba los ojos, apretándolos fuerte, se arropaba con la manta —buscando en la silla el hueco reblandecido ya de su cuerpo—, y aguardaba, anhelante, los próximos instantes que debían abolir la soledad. En la cabeza se le quedaban durante un rato los sonidos de las voces que hablaban lenguas distintas, diferentes sonoridades y músicas que parecían entremezclarse sin estridencias en aquella ciudad pequeña y enroscada sobre sí misma, de cara al mar, lo suficientemente lejos de las bombas que caían al otro lado de los montes y las olas —donde la guerra seguía asolando las tierras aún empapadas de la sangre reciente—, y a la vez lo bastante cerca como para haberse convertido en refugio y guarida de cobardes ricos, de mercaderes inmorales, de desvergonzadas aventureras en busca de dinero fácil... A veces, en la duermevela, las voces extrañas se le enmarañaban con otras familiares y queridas —la risa fácil de Felicia, los gemidos de Hugo de Montespin, las órdenes de Marcel, los suspiros tristes de la madre—, y los rostros entrevistos en la penumbra se parecían de pronto a todos los rostros de su vida, y los ojos eran entonces profundos como entrañas, ojos-espejo a los que ella se había asomado, buscándose y buscando, ojos-guarida, de los que manaba el consuelo, y ojos-cuchillo que amenazaban y rechazaban y daban la muerte...

La puerta del hotel se abrió con fuerza. Los jirones de niebla helada siguieron, como una corte de demonios, a la pareja, anodino él, gris y rico, hermosa ella, y alta, el andar seguro de quien ha recorrido muchos pasos en la vida, firmes los pies sobre la tierra móvil. Su pelo era rojo como el fuego y, junto al mostrador, el perfil tenía la belleza de una estatua antigua, las líneas exactas, inalterables de quien ya no llora. Se volvió de pronto, despacio, como si supiera de cierto lo que iba a mirar. Los ojos se detuvieron justo sobre ella, sin sorpresa, sin miedo, generosa la sonrisa de vieja amiga, de compañera antigua que ha puesto consuelo a tantas tardes de lluvia. La cicatriz le cruzaba la cara, desde el centro de la frente hasta la mejilla, sobre la comisura del párpado izquierdo que, a pesar de todo, se abría orgulloso. Mariana sintió agitársele el corazón, igual que se le había agitado aquella mañana, en Belbec, cuando la madre la cogió de la mano —había nacido la primavera ese día, y por vez primera en meses el mundo era un paraíso azul y verde— y la llevó al cuarto del bisabuelo. «Te enseñaré el secreto —dijo—, pero debes olvidarlo después: hay cosas de la familia que es mejor no recordar.» La llave encajó sin tropiezos en la cerradura de aquella puerta que, para Mariana, siempre había estado cerrada. Los rayos del sol entraban despacio a través de la ventana y jugueteaban en el polvo, llenándolo de colores. Los muebles extraños, de maderas oscuras y relucientes figuras de bronce, parecían recién instalados en aquel espacio misterioso. Junto a la cama, un Cristo sanguinolento extendía los brazos, sobre una Virgen dolorosa y desmelenada. A sus pies, el terciopelo carmesí del reclinatorio mostraba las huellas tristes del peso de algún cuerpo. Mariana abría los ojos, asombrada. La madre señaló el gran retrato que colgaba frente al lecho, la imagen evanescente y a la vez tan real, como entrevista a través de la niebla, de una mujer hermosísima, de pelo rojo igual que el fuego, envuelta en sedas azules que se le apretaban bajo el pecho, y aquella hendidura terrible, el lienzo abierto, desde la frente hasta la mejilla, sobre la negrura... «Ésa era tu bisabuela Isabel —y la voz parecía musitar un ensalmo—. Mi abuelo Pascal la conoció en España, cuando estuvo allí refugiado de la Revolución. Ella tenía quince años, y era hermosa como las montañas después de la tormenta, y dulce como el agua fresca en un día caluroso... Su padre había sido virrey en América, y ella sabía hablar con la luna, y cantaba canciones en lenguas extrañas, que parecían nacidas del fondo de la tierra... Se casaron en seguida, y luego, cuando él pudo regresar a Francia, se la trajo aquí. Los años pasaban, y el abuelo envejecía, y se le aflojaban los músculos y se le ennegrecían los dientes. Pero Isabel parecía cada día más hermosa, más joven. En la comarca empezaron a correr las leyendas. Se decía que era bruja, y que había conjurado la vejez y la muerte... Por las noches, en voz muy baja, alrededor del fuego, los campesinos murmuraban que la señora mataba a sus propios hijos para seguir viviendo eternamente. Y era cierto que cada año le nacía una criatura, pero todas morían a los pocos meses. Ella misma los amortajaba y, sin embargo, nadie la vio nunca llorar, ni quejarse del destino, ni fruncir al menos el ceño o bajar la frente... Siempre estaba callada. Jamás hablaba con nadie, ni siquiera con su esposo, al que trataba con un respeto helado: se inclinaba en su presencia, y acudía presurosa cuando él la llamaba, pero de sus labios nunca salió una palabra de ternura o de piedad, y sus manos jamás descansaron sobre las de él. El abuelo vivía asustado de aquella mujer fuerte y misteriosa. Con los años, él también empezó a creer que era una bruja. Cada día iba a la iglesia, y rezaba largo rato, y luego se encerraba aquí, en su habitación, rodeado de libros sabios en los que intentaba buscar el alivio a su mal. Porque, a pesar de todo, una fuerza misteriosa parecía unirlo indisolublemente a su esposa: podía haberse ido, y sin embargo no lo hizo. Podía haberla rechazado, y en cambio casi a diario acudía a su cuarto y se quedaba hasta el amanecer junto a ella...»

Las maderas del reclinatorio crujieron de pronto. Mariana tuvo miedo, y agarró con fuerza la mano de la madre, que aún contemplaba, prendida, el retrato inquietante: «Una mañana, a la hora del despertar, Isabel de Tréville no estaba en su cama. La buscaron por todas partes, pero jamás apareció. Algunos pescadores se atrevieron a decir que, aquel amanecer, habían visto un barco de extrañas velas plateadas navegando hacia el Norte, en medio de la tempestad. Tu bisabuelo, enloquecido de dolor y de furia, rajó con un cuchillo el retrato de su esposa. Nunca más salió de Belbec. Dedicó el resto de su vida a cuidar del hijo más pequeño, el único que sobrevivió. Pero cada noche, los criados lo oían sollozar arrodillado a los pies del cuadro —que siguió colgado frente a su cama, con el desgarrón oscuro cruzando la cara tan amada—, suplicándole a su esposa que regresara.» Mariana miraba a Isabel de Tréville, la piel pálida del escote perdiéndose bajo la seda azul, los brazos largos envueltos en el delicado tul de las hadas, el rostro bellísimo e inalterable, y la negra hendidura desde la frente a la mejilla, sobre la comisura del ojo izquierdo que se abría, pese a todo, lleno de orgullo... El corazón le latía con fuerza.

La voz del hombre sacudió el tiempo: «Vamos», dijo. Y ella mantuvo la sonrisa unos instantes, y la mirada, y luego se volvió, y caminó firme hacia el ascensor, desvaneciéndose en la penumbra.

Mariana tembló. A través del ventanal, la niebla y la noche seguían siendo un inmenso vacío que había devorado el mundo. Sin embargo, a lo lejos, sobre el mar, un leve resplandor anunciaba el amanecer aún tardo. Se arrebujó en la manta, y cerró los ojos: cuando la luz llegase, como cada día, volvería a su habitación. Entonces, apagándose en la albura su imagen burlona, la muerte se alejaría de su fría cama de mujer sola. Una noche más, habría logrado evitarla. Pero el peso de las sombras seguiría aplastando por siempre su corazón.

*Sassetot-le-Mauconduit — La Vecilla, 1994.*